Amityville Copyright © 2016
The Amityville Horror
Copyright © 1977 by Jay Anson,
George Lee Lutz and Kathleen Lutz.

Copyright renewed © 2005.
All Rights Reserved. Published by arrangement
with the original publisher, Simon & Schuster, Inc.

Tradução para a língua portuguesa
© Eduardo Alves, 2016

Diretor Editorial
Christiano Menezes

Diretor Comercial
Chico de Assis

Gerente Comercial
Giselle Leitão

Gerente de Marketing Digital
Mike Ribera

Gerentes Editoriais
Bruno Dorigatti
Marcia Heloisa

Editores da coleção
Bruno Dorigatti
Marcia Heloisa

Editor Assistente
Paulo Raviere

Capa e Projeto Gráfico
Retina 78

Coordenador de Arte
Arthur Moraes

Coordenador de Diagramação
Sergio Chaves

Designer Assistente
Eldon Oliveira

Finalização
Sandro Tagliamento

Revisão
Gustavo de Azambuja Feix
Talita Grass
Retina Conteúdo

Impressão e acabamento
Coan Gráfica

DADOS INTERNACIONAIS DE CATALOGAÇÃO NA PUBLICAÇÃO (CIP)
Jéssica de Oliveira Molinari - CRB-8/9852

Anson, Jay
    Amityville / Jay Anson ; tradução de Eduardo Alves. 2 ed. —
Rio de Janeiro : DarkSide Books, 2021.
    256 p.

    ISBN: 978-65-5598-135-3
    Título original: Amityville Horror

    1. Casas mal-assombradas 2. Demonologia - Estudo de casos
3. Parapsicologia - Estados Unidos - Amityville 4. Lutz, George Lee
5. Lutz, Kathleen I. Título II. Alves, Eduardo

21-3941   CDD 133.42

        Índices para catálogo sistemático:
            1. Demonologia – Casas mal-assombradas

[2021]
Todos os direitos desta edição reservados à
DarkSide® Entretenimento LTDA.
Rua General Roca, 935/504 — Tijuca
20521-071 — Rio de Janeiro — RJ — Brasil
www.darksidebooks.com

DARK HOUSE

AMITYVILLE
JAY ANSON

TRADUÇÃO
EDUARDO ALVES

2ª edição

DARKSIDE

Os nomes e alguns detalhes pessoais de vários indivíduos mencionados neste livro foram alterados para preservar sua privacidade.

DARK HOUSE

APRESENTAÇÃO
DARKSIDE

Nem toda a exuberância do reino de Oz pôde inculcar em Dorothy sonhos de permanência. Enquanto seus parceiros de jornada almejavam graças imponentes como cérebro, coração e coragem, ela só queria voltar para casa. Afinal, o que é o lar senão a concentração dos três — nossa expressão mais íntima de mente, emoção e destemor? A casa é o referencial que nos orienta, o colo que nos aquece e a oficina dos nossos anseios de futuro. Entre as paredes de dentro e os perigos lá fora, a casa é o escudo que salvaguarda nossa percepção de segurança. Mas nenhum espaço íntimo é impermeável às ameaças — internas e externas.

O que acontece quando a casa é invadida, quando perdemos sua parca garantia de inviolabilidade? É a partir dessa premissa que surge um dos subgêneros mais fascinantes e populares do horror: as narrativas de casas assombradas. Esses pesadelos domésticos denunciam a fragilidade do que queremos e imaginamos fortaleza e expõem a nossa impotência perante os mistérios que esgarçam os contornos da razão. A casa assombrada, enquanto atestado de santuário em ruínas, trai nosso ideal de proteção e fragiliza a nossa fé na sacralidade do lar.

Construídas em terrenos que preservam em suas entranhas um passado violento, as casas malignas do horror se erguem em um solo encharcado de sangue. Se tomarmos o fantasma como a figuração de tudo que não quer — ou não pode — morrer, detectamos em cada vulto ameaçador vestígios de acontecimentos traumáticos. Nas narrativas norte-americanas, desassossegos pessoais se mesclam aos traumas históricos. A animosidade persecutória dos colonizadores, o extermínio dos povos nativos, as atrocidades da escravidão e as marcas de incontáveis guerras, só para citar alguns exemplos, estão entre as assombrações que povoam o horror real e ficcional do país. Não é por acaso que a explicação para casas amaldiçoadas responsabilize cemitérios indígenas, escravizados em desforra ou mulheres acusadas de bruxaria na Salem do século XVII.

Culpar as vítimas — ou transformá-las em monstros — é parte da incapacidade do país de encarar a sua sombra. Projetada na parede desses lares precariamente sólidos, a sombra acaba por tomar a casa inteira. E é assim que surge uma das grandes contribuições da ficção norte-americana às narrativas de assombração: a casa senciente.

Para além da invasão domiciliar de espíritos e entidades malignas, algumas histórias de fantasmas concentram a monstruosidade na própria casa, transformando-a em ameaça ainda mais inescapável. Dotada de torpeza endêmica, a casa senciente combina medo, paranoia, culpa cristã e a crença de que o Diabo está sempre a um deslize de distância. Impondo-se como árbitro de juízo moral, a casa monstruosa testa seus habitantes e, com frequência, os condena. Enquanto organismo voraz, ela precisa se alimentar da energia vital dos moradores. Mas no embate com a casa, aqueles que a habitam possuem uma grande vantagem: a capacidade humana de mudança, reconstrução, recomeço. Às vezes, a melhor maneira de se vencer uma casa, é saindo dela. Presa em sua pétrea imobilidade, só resta à casa invejar as pernas que nos fazem artífices de novos passos.

Embora tais narrativas não sejam exclusividade dos Estados Unidos, o país concentra exemplos notáveis de casas ficcionais povoadas por espectros. Há três séculos, da casa de Usher de Edgar Allan Poe às franquias cinematográficas *Atividade*

Paranormal e *Invocação do Mal*, os lares amaldiçoados da literatura norte-americana nos abrem suas portas e, a despeito das ameaças monstruosas que neles habitam, cruzamos a soleira e mergulhamos em suas noites eternas. É com muito orgulho que a Caveira convida os *darksiders* para uma temporada em casas diabolicamente perversas, descritas com chocante minúcia em três clássicos do gênero: *Amityville, Hell House: A Casa do Inferno* e *Elementais*. **Dark House**, a nova coleção da DarkSide® Books, foi arquitetada para celebrar histórias de horror que são verdadeiros bens culturais tombados pelo patrimônio histórico do medo.

Nestes tempos pandêmicos, a casa mais do que nunca nos é percebida como espaço de proteção. Mas em nosso prolongado confinamento, também descobrimos o quão assombrados podem ser os nossos lares. Os fantasmas nos machucam com lembranças que nos fragilizam, seja pela nostalgia de dias mais doces ou o ressentimento de amargas perdas. Entidades trazem sonhos perturbados por uma realidade abundante em pesadelos. E, em cada canto de nossas dúvidas, pululam os demônios de um futuro em neblina. Mas se tem algo que podemos aprender com as narrativas de casas assombradas, é que mais do que donos de um espaço físico, somos proprietários de nossas escolhas. Mesmo cercados pelo medo, podemos escolher criar, pulsar, encher nossos dias de ímpeto, inspirar nossas noites com paixão, construir rotas de fuga, saídas, novos caminhos.

Que venham então os fantasmas. Eles nada podem contra nós. São seres que anseiam pelo cérebro, o coração e a coragem da esperança contumaz que nos habita. No fim, o que importa não é a casa que temos. Nosso maior bem há de ser sempre a casa que somos — sobretudo uns para os outros.

Os editores
Halloween, 2021

AMITYVILLE
JAY ANSON

PREFÁCIO
Reverendo JOHN NICOLA

O problema tratado por este livro, embora seja tão antigo quanto a humanidade, precisa ser trazido à luz dos criteriosos leitores contemporâneos. Todas as civilizações já expressaram certo sentimento de insegurança e temor em relação a relatos inconsistentes, embora recorrentes, de fenômenos que levaram pessoas a se sentirem vítimas de seres hostis com poderes sobre-humanos. Seres humanos em diferentes sociedades reagiram a esses desafios de diversas maneiras. Palavras, gestos, amuletos ou outros objetos foram usados de maneira ritualística em resposta a ataques demoníacos. Isso valia tanto para as civilizações semitas, como os babilônios e seus temidos demônios Udug, quanto para os atuais ritos de exorcismo cristãos.

No moderno mundo ocidental, existem três pontos de vista principais que, combinados de diversas maneiras, caracterizam os diferentes posicionamentos que indivíduos adotam em relação a relatos sobre o ataque de poderes misteriosos. O primeiro, o *científico*, enxerga o mundo — e talvez o universo — como algo governado por leis invariáveis que foram, ou pelo menos são passíveis de ser, descobertas pelas investigações científicas. No outro extremo, se encontra o ponto de vista que pode ser caracterizado como *supersticioso* e que parece deplorar, se não ignorar, as descobertas da ciência, enxergando a realidade empírica como algo superficial e inexpressivo e, então, se concentrando apenas nas realidades espirituais ocultas. O terceiro ponto de vista contém um pouco de cada um dos anteriores: embora aceite a ciência como método, amplia as perspectivas da ciência positivista, incorporando dimensões espirituais da realidade por meio de considerações teológicas e filosóficas. Podemos chamá-lo de ponto de vista *religioso*.

Sem dúvida os fenômenos narrados neste livro realmente acontecem — e com pessoas e famílias comuns, que não querem chamar a atenção nem são carentes. É comum que a resposta do cientista positivista seja negar a realidade dos dados relatados e se recusar até mesmo a examinar as evidências. Em semelhante situação, aparentemente, estamos lidando com um preconceito. Por outro lado, aqueles cientistas que acreditam nas evidências e aplicam a metodologia científica na tentativa de encontrar uma explicação, costumam restringir as possibilidades à ciência como é conhecida nos dias de hoje, ou supõem que as futuras descobertas da ciência empírica irão um dia explicar tais fenômenos. Essa é uma abordagem razoável e íntegra.

Pessoas supersticiosas se atêm aos fenômenos psíquicos como justificativa para uma abordagem por vezes irracional da vida. Relacionar medos irracionais e noções ou explicações preconcebidas e sem sentido com situações como o caso em Amityville, descrito por Jay Anson neste livro, apenas aumenta o sofrimento das pessoas envolvidas. O preconceito, nesse caso, fica evidente.

Desnecessário dizer que os dados da revelação estão incorporados ao ponto de vista de uma pessoa que recebeu orientação religiosa. Visto que a revelação se baseia na comunicação com Deus, o que por sua vez se baseia na existência de Deus e em Seus interesses em assuntos humanos, podemos ver que aqui também existe um preconceito implícito — a saber, o preconceito da fé. A pessoa de fé equilibrada irá admirar e aceitar as descobertas da ciência moderna, mas concluirá que, mesmo com os possíveis avanços futuros, seria uma cegueira pensar que a natureza não revela uma realidade profunda para além do reino empírico da ciência natural. Assim como um cientista de mente aberta, um crente sensato também pode aceitar uma abordagem integrada em relação aos fenômenos psíquicos.

Deste modo observamos que, independentemente da perspectiva adotada por um indivíduo, o ponto de vista irá repousar sobre certos preconceitos que não podem ser provados, para a satisfação de quem escolhe adotar uma concepção diferente. Quando fenômenos psíquicos acontecem na vida de uma família, e essa família procura ajuda, seus membros podem ser repelidos pela ingenuidade do supersticioso, pela incerteza daqueles que professam a crença no sobrenatural, mas parecem envergonhados e confusos das próprias crenças, e pelo orgulho arrogante do cientista positivista que declara com voz de autoridade coisas contraditórias à experiência de outrem.

Infelizmente, essa intrincada rede de ignorância, predisposição e medo causa grande sofrimento para a família inocente, que se encontra presa dentro de uma situação perturbadora e aterrorizante. É sobre um caso desses que o próprio Jay Anson discorre. Se a história fosse ficção, logo seria descartada como algo irrelevante. Contudo, é um relato elaborado pela família e pelo padre que vivenciaram de verdade os fatos narrados. Até por isso a história deve nos fazer parar para pensar. Quem já se envolveu em investigações psíquicas pode atestar que este caso não é atípico.

Devido às incertezas relacionadas ao paranormal, eu, como alguém que acredita na ciência e na religião, seria imprudente se não alertasse os leitores sobre os perigos da arrogância que professa uma compreensão do desconhecido e da bravata que alardeia um controle do transcendental. O sábio sabe que ele *não* sabe — e o prudente respeita o que não controla.

AMITYVILLE
JAY ANSON

PRÓLOGO

No dia 5 de fevereiro de 1976, o *Ten O'Clock News* do Channel Five de Nova York anunciou que estava produzindo uma série sobre pessoas que afirmavam ter poderes extrassensoriais. O programa cortou para o repórter Steve Bauman, que investigava uma suposta casa assombrada em Amityville, Long Island.

Bauman disse que, no dia 13 de novembro de 1974, uma grande casa colonial no número 112 da Ocean Avenue tinha sido palco de uma chacina. Ronald DeFeo, 23 anos, pegara um rifle de alto calibre e, de modo sistemático, matara a tiros os pais, os dois irmãos e as duas irmãs. DeFeo fora condenado à prisão perpétua.

"Dois meses atrás", continuou o repórter, "a casa foi vendida por 80 mil dólares a um casal chamado George e Kathleen Lutz." Os Lutz sabiam dos assassinatos mas, como não eram supersticiosos, sentiram que a casa seria perfeita para eles e os três filhos.

A família se mudou no dia 23 de dezembro. Pouco tempo depois, disse Bauman, os Lutz perceberam que o lugar era habitado por alguma força psíquica e passaram a temer por suas vidas. "Eles falaram sobre sentir a presença de alguma energia no interior da casa, algo maligno e antinatural que ficava mais forte a cada dia que permaneciam ali."

Quatro semanas depois da mudança, os Lutz abandonaram a casa, levando apenas poucas mudas de roupa. No momento em que este livro é escrito, eles estão morando na residência de amigos, em local não revelado. Porém, o Channel Five declarou que, antes da partida, a situação delicada da família já ficara conhecida na região. Os Lutz tinham recorrido à polícia e a um padre local, assim como a um grupo de pesquisadores de fenômenos psíquicos. "Dizem que alegaram ouvir vozes que pareciam vir de dentro deles mesmos, que mencionaram uma força que teria tirado a sra. Lutz do chão e a levado até um armário. Atrás desse móvel, havia um cômodo que não aparecia em nenhuma planta."

O repórter Steve Bauman estava ciente desses depoimentos. Depois de pesquisar o histórico da casa, descobriu que tragédias tinham se abatido sobre quase todas as famílias que moraram no lugar, assim como em uma casa construída antes, no mesmo local.

O apresentador do Channel Five prosseguiu dizendo que William Weber, o advogado que representava Ronald DeFeo, pedira a realização de estudos investigatórios, na esperança de provar que alguma força influenciava o comportamento de quem morasse no número 112 da Ocean Avenue. Weber alegava que essa força "poderia ser de origem natural" e pressentia que poderia ser a evidência necessária para conseguir um novo julgamento para seu cliente. Diante das câmeras, Weber disse que estava "ciente de que certas casas podem ser construídas ou planejadas de uma maneira que possibilita a circulação de certos tipos de correntes elétricas através de alguns cômodos, com base em sua estrutura física. Repito, os especialistas disseram que 'estão investigando, para poder descartar essa hipótese'. Uma vez descartadas todas as explicações científicas ou plausíveis, o caso será transferido para outro grupo da Duke University, que irá se aprofundar nos aspectos psíquicos".

A reportagem encerrou noticiando que a Igreja Católica também estava envolvida. O Channel Five afirmou que dois emissários do Vaticano tinham chegado a Amityville em dezembro, e fontes anônimas alegam que os sacerdotes disseram aos Lutz para deixarem a casa o quanto antes. "Agora o Conselho de Milagres da Igreja está estudando o caso, e o relatório afirma que o número 112 da Ocean Avenue está mesmo possuído por alguns espíritos, em um fenômeno que vai além do atual entendimento humano."

Duas semanas depois da transmissão, George e Kathy Lutz concederam uma entrevista coletiva no escritório do advogado de DeFeo. William Weber conhecera o casal três semanas antes, por meio de amigos em comum.

George Lutz disse aos repórteres que não passaria mais uma noite na casa, mas que ainda não estava planejando vender a residência no número 112 da Ocean Avenue. Também estava esperando os resultados de alguns laudos científicos realizados por parapsicólogos e outros pesquisadores "sensitivos" especializados em fenômenos ocultos.

Naquela época, os Lutz cortaram todo o contato com a mídia, por acharem que muitas coisas estavam sendo aumentadas e exageradas. Apenas agora a história completa será contada.

AMITYVILLE
JAY ANSON

18 DE DEZEMBRO DE 1975

1

George e Kathy Lutz se mudaram para o número 112 da Ocean Avenue em 18 de dezembro. Vinte e oito dias depois, fugiram aterrorizados.

George Lee Lutz, 28 anos, de Deer Park, Long Island, tinha uma boa noção dos valores de imóveis e terrenos. Dono de uma empresa de agrimensura, a William H. Parry, Inc., ele alardeava cheio de orgulho para todo mundo que o negócio familiar já durava três gerações: o avô passara para o pai que, por sua vez, passara para ele.

Entre julho e novembro, ele e a esposa Kathleen, 30 anos, tinham visitado mais de cinquenta residências na costa sul de Long Island, antes de decidirem procurar em Amityville. Nenhum imóvel na faixa dos 30 a 50 mil dólares atendera a suas exigências: uma casa que ficasse à beira do rio e fosse capaz de acomodar o negócio de George, que gostaria de transferir seu escritório.

Durante a procura, George ligou para a Imobiliária Conklin, em Massapequa Park, e conversou com a corretora Edith Evans, que disse ter uma casa nova para mostrar. Ela poderia levá-los para visitar o imóvel entre as 15h e 15h30. George marcou a visita e, então, a corretora — uma mulher atraente e simpática — levou o jovem casal até a casa às 15h.

Ela foi muito simpática e paciente com os Lutz. "Não sei ao certo se é bem o que estão procurando", comentou ela com George e Kathy, "mas eu queria mostrar como a 'outra metade' de Amityville vive."

A casa no número 112 da Ocean Avenue é uma construção grande e espaçosa de três andares, com fachada branca e telhas escuras. Seu terreno mede 15 m por 72 m: como os 15 m ficam na frente, quando estamos do outro lado da rua e olhamos para a casa, a porta de entrada fica do lado direito da propriedade. Uma amurada de madeira de 9 m à beira do rio Amityville faz parte da propriedade.

Em um poste de iluminação, no fim de uma entrada pavimentada para carros, há uma pequena placa com o nome dado à casa pelo proprietário anterior: "Grandes Esperanças".

Uma varanda fechada com um pequeno bar oferece uma vista para uma área residencial mais antiga e mais popular, com outras casas grandes. Sempre-vivas crescem em volta do estreito terreno, bloqueando parcialmente a visão de ambos os lados, mas as cortinas fechadas dos vizinhos podem ser vistas com bastante facilidade. Ao olhar ao redor, George achou aquilo peculiar. Ele notou que todas as cortinas dos vizinhos do lado que dava para aquela casa estavam fechadas, mas não as da frente ou as voltadas para as casas do outro lado.

A casa no número 112 estivera à venda por quase um ano. Não tinha um anúncio no jornal, mas havia uma descrição completa na lista da imobiliária de Edith Evans:

ÁREA EXCLUSIVA DE AMITYVILLE

Casa colonial holandesa de seis quartos, sala de estar espaçosa, sala de jantar formal, varanda fechada, dois banheiros e um lavabo, porão reformado, garagem para dois carros, piscina aquecida e amplo abrigo de barcos. Preço: 80 mil dólares.

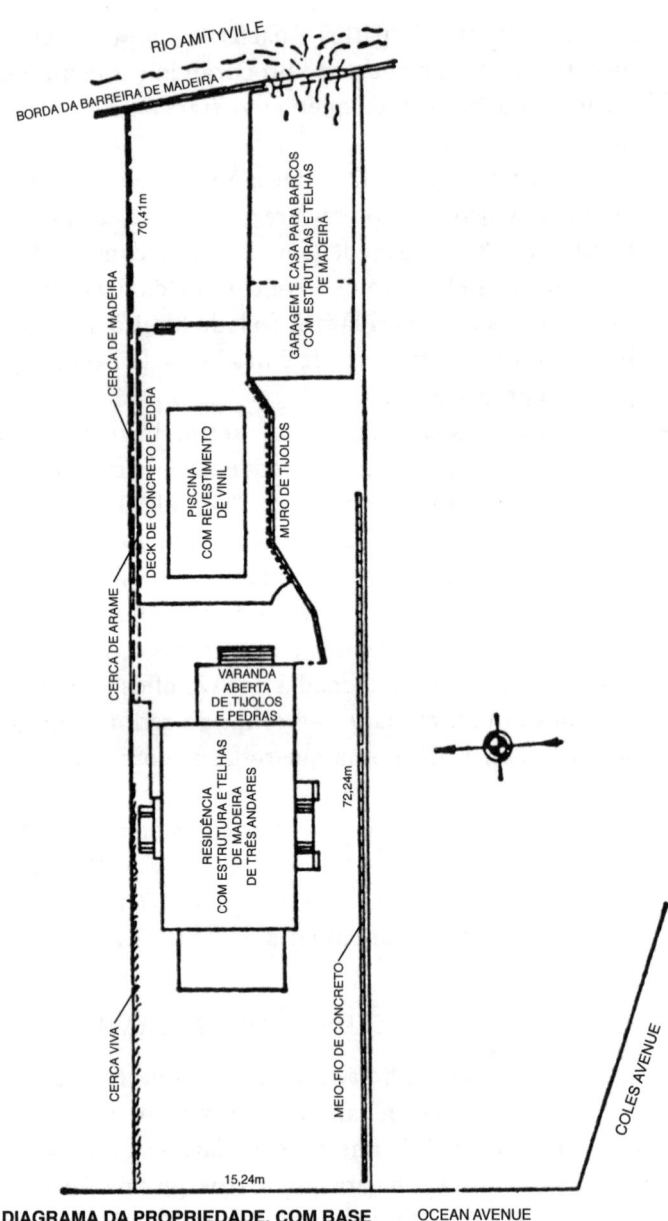

DIAGRAMA DA PROPRIEDADE, COM BASE EM UMA INSPEÇÃO FEITA EM 1975.

Oitenta mil dólares! Uma casa com uma descrição dessas teria que estar caindo aos pedaços ou o datilógrafo poderia ter se esquecido de colocar um "1" antes do "8". Alguém poderia pensar que a corretora queria vender gato por lebre e mostrar a propriedade depois do anoitecer e apenas pelo lado de fora, mas ela ficou feliz em apresentar o interior do imóvel ao casal. A visita dos Lutz foi agradável: rápida, mas cuidadosa. A casa não apenas atendia a todas as exigências e todos os desejos, como também, ao contrário do que esperavam, estava em boas condições, o que também valia para as áreas anexas.

Em seguida e sem hesitar, a corretora revelou ao casal que aquela era a casa dos DeFeo. Ao que parece, todos no país tinham ouvido falar da tragédia, sobre como Ronald DeFeo, 23 anos, assassinou o pai, a mãe, os dois irmãos e as duas irmãs enquanto dormiam, na noite do dia 13 de novembro de 1974.

Os jornais e os noticiários relatavam que a polícia encontrara os seis corpos baleados por um rifle de alto calibre. Como os Lutz viriam a descobrir meses depois, todos os cadáveres estavam deitados na mesma posição: de bruços, com as cabeças descansando sobre os braços. Interrogado sobre a chacina, Ronald acabara confessando: "Simplesmente aconteceu. Foi tudo rápido demais e eu apenas não consegui parar".

Durante o julgamento, o advogado indicado pelo tribunal, William Weber, alegou insanidade. "Durante meses antes do incidente eu ouvi vozes", declarou o réu. "Como sempre que olhava ao redor não havia ninguém, deve ter sido Deus falando comigo." Ronald DeFeo foi condenado por assassinato e sentenciado a seis prisões perpétuas consecutivas.

"Não sabia se contava qual era a casa *antes* ou *depois* da visita", devaneou a corretora. "Gostaria de saber o que vocês acham, para a abordagem futura com clientes que possam estar à procura de uma casa na faixa dos 90 mil dólares."

Ficou claro que ela imaginava que os Lutz não ficariam interessados em uma propriedade tão opulenta. Mas Kathy deu uma última olhada pela casa, sorriu toda contente e disse: "É a melhor casa que vimos e tem tudo o que a gente sempre quis". Era óbvio que ela nunca tinha esperado morar em uma casa tão bonita. George então prometeu a si mesmo que daria aquela casa para a esposa, se tivesse dentro de suas possibilidades. A história trágica do número 112 da Ocean Avenue não fazia diferença para George, Kathy ou para os três filhos do casal: aquela continuava sendo a casa de seus sonhos.

Durante o restante de novembro e as primeiras semanas de dezembro, os Lutz passaram as noites traçando planos para as pequenas mudanças a serem feitas na casa nova. A experiência de George com agrimensura possibilitou que esboçasse plantas adequadas para essas modificações.

Ele e Kathy decidiram que um dos quartos do terceiro andar ficaria para os dois filhos, Christopher, de 7 anos, e Daniel, de 9. O outro cômodo no andar superior seria usado para o quarto de brinquedos das crianças. Melissa, "Missy", a filha de 5 anos, dormiria no segundo andar, de frente para o quarto principal. Também haveria uma sala de costura e um quarto de vestir para George e Kathy no mesmo andar. Chris, Danny e Missy ficaram muito felizes com a distribuição dos cômodos.

No primeiro andar, tiveram um probleminha. Não tinham mobília para a sala de jantar. Decidiram então que, antes de fecharem o negócio, George diria à corretora que gostariam de comprar a mobília guardada pelos DeFeo, assim como o mobiliário de um quarto para Missy, uma poltrona e os móveis do quarto de Ronald DeFeo. Essas e demais peças deixadas na casa, como a cama dos DeFeo, não estavam incluídas no preço de compra. George pagou 400 dólares a mais por esses itens. Além disso, conseguiu de graça sete aparelhos de ar-condicionado, duas lavadoras, duas secadoras e uma geladeira e um freezer novos em folha.

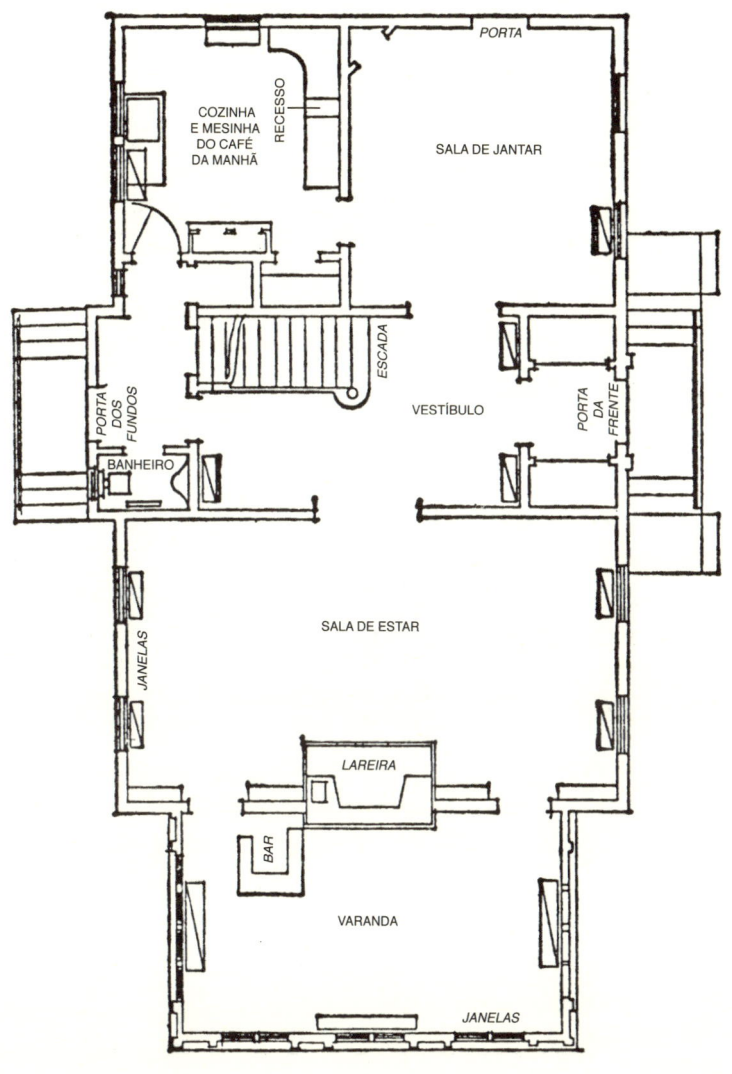

TÉRREO

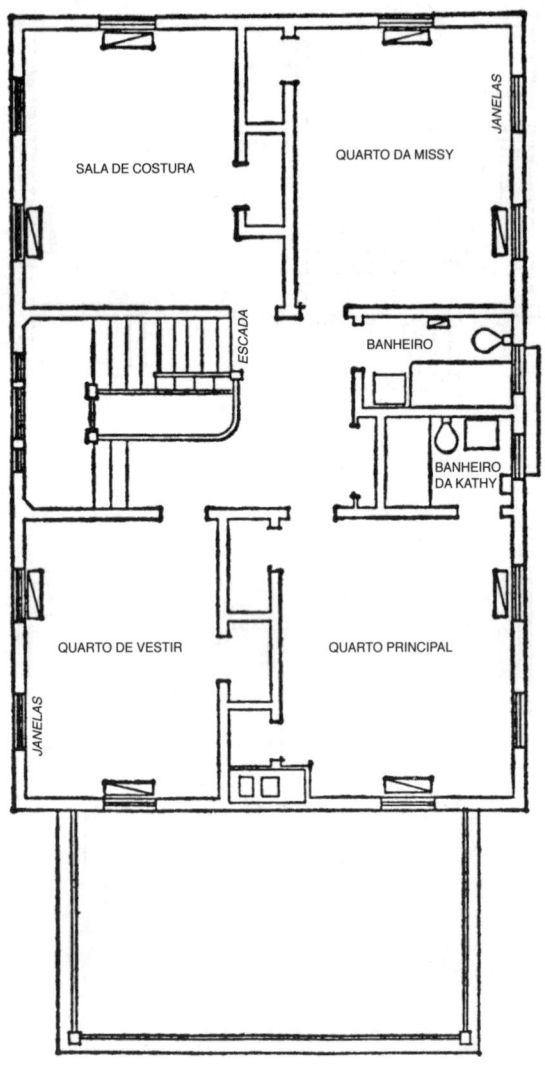

SEGUNDO ANDAR

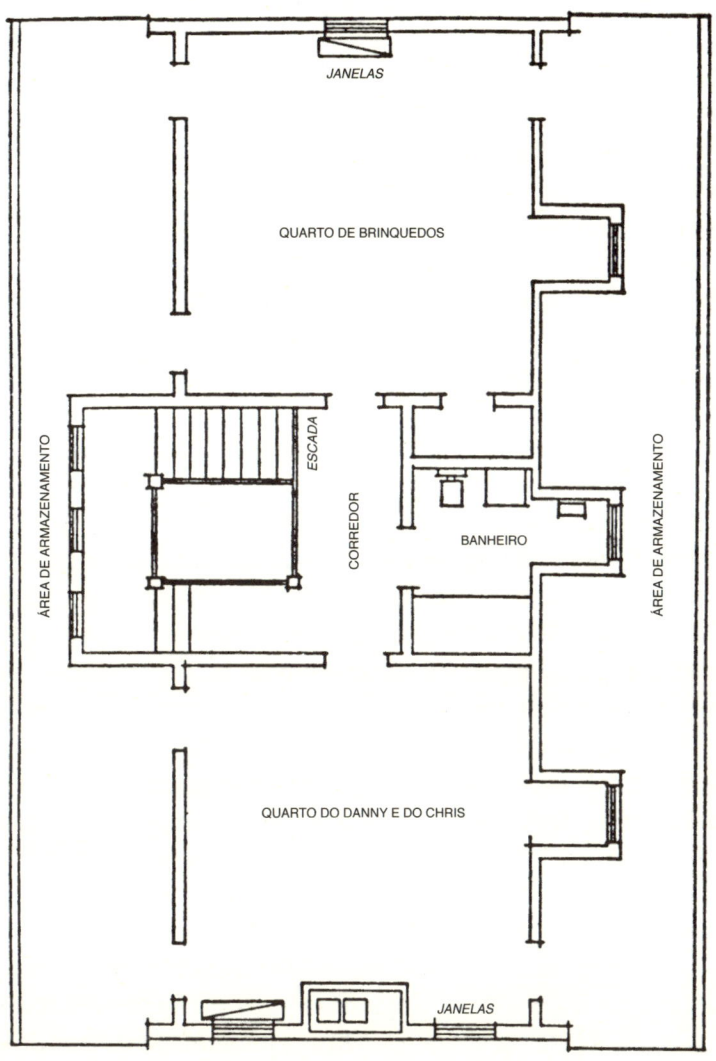

TERCEIRO ANDAR/SÓTÃO

Havia muita coisa a ser feita antes do dia da mudança. Além do transporte de todos seus pertences, havia complicadas questões legais relativas à transferência da escritura que precisavam ser examinadas e resolvidas. A escritura do imóvel e do terreno estava registrada nos nomes dos pais de Ronald DeFeo. Parecia que Ronald, como único membro vivo da família, tinha o direito de herdar o patrimônio dos pais, mesmo tendo sido condenado por assassiná-los. Nenhuma parte do espólio do patrimônio poderia ser vendida antes do acerto dessas questões no Tribunal de Justiça. Era um complicado nó legal que os testamenteiros precisavam desatar, e foi preciso ainda mais tempo para providenciar a apropriada administração legal de todas as transações relacionadas à casa ou ao terreno.

Os Lutz foram avisados que providências poderiam ser tomadas a fim de proteger os interesses legais de todos os envolvidos, caso a venda da casa fosse concretizada. Porém, como a conclusão do procedimento adequado poderia levar semanas ou ainda mais tempo, ficou acordado que, para fechar o negócio, 40 mil dólares deveriam ser pagos como garantia para a hipoteca, até que uma ação legal pudesse ser tomada e executada.

A data para a assinatura do contrato foi marcada para a mesma manhã em que George e Kathy planejavam se mudar de Deer Park. Eles tinham acertado os últimos detalhes da venda da antiga casa no dia anterior. Confiantes de que tudo poderia ser resolvido, e provavelmente influenciados pela ansiedade de se mudar, o casal decidiu tentar fazer tudo no mesmo dia.

A tarefa de empacotar as coisas ficou sobretudo para Kathy. Com a intenção de que as crianças não atrapalhassem os adultos, ela confiou aos filhos pequenos afazeres. Eles ficaram de juntar os próprios brinquedos e arrumar as próprias roupas para empacotar. Quando terminassem de fazer isso, deveriam começar a limpar os quartos para deixar a antiga casa apresentável no momento da entrega das chaves aos novos proprietários.

George planejava fechar o escritório em Syosset e transferi-lo para a nova casa na tentativa de economizar o dinheiro do aluguel. Tinha incluído esse item na estimativa de como ele e Kathy conseguiriam bancar um imóvel de 80 mil dólares. Agora ele imaginava que, com um bom planejamento, o porão poderia ser o lugar adequado. Transportar todos os equipamentos e móveis levaria bastante tempo e, se decidisse mesmo pelo porão como o local de seu novo escritório, seria necessário fazer algumas obras de carpintaria.

O abrigo de barcos de 13 m por 7 m, que ficava atrás da casa e da garagem, não seria uma mera peça de ostentação e decoração para os Lutz. George tinha uma lancha de passeio de 25 pés e uma lancha de corrida de 15 pés. Também nesse caso, as instalações da casa nova fariam com que ele economizasse o alto aluguel que costumava pagar a uma marina. A tarefa de transportar os barcos a Amityville em um reboque se transformou em uma obsessão, apesar das novas prioridades que ele e Kathy descobriam a todo momento.

Havia muito a ser feito no número 112 da Ocean Avenue, tanto dentro quanto fora. Embora não soubesse como arrumaria tempo, George planejava cuidar do paisagismo e do jardim, para evitar estragos causados pela geada: talvez fosse necessário cobrir os arbustos com sacos de juta, colocar lâmpadas e espalhar um pouco de cal no gramado.

Habilidoso com ferramentas e equipamentos, George avançou bem em muitos projetos no interior da casa. De vez em quando, pressionado pela falta de tempo, misturava os projetos que tinha esperanças de realizar com aqueles que precisava terminar. Logo deixou tudo de lado para limpar a chaminé, depois a lareira. Afinal de contas, o Natal estava chegando.

Estava muito frio no dia da mudança. Os Lutz tinham empacotado tudo na noite anterior e precisaram dormir no chão. George acordou cedo e empilhou sozinho a primeira leva de caixas no maior caminhão da U-Haul que conseguiu alugar. Acabou de fazer isso bem a tempo de tomar um banho e sair com Kathy para a assinatura do contrato.

Durante o processo legal, os advogados usaram mais do que suas cotas habituais de "doravante", "ao passo que" e "as partes", e trocaram entre si longas páginas datilografadas. O advogado dos Lutz explicou que, devido às restrições em relação à casa, eles não teriam uma escritura desimpedida da propriedade, embora fossem conseguir a melhor saída possível para garantir a hipoteca. No entanto, por incrível que pareça, as negociações estavam concluídas poucos minutos depois do meio-dia. Ao deixarem apressados o escritório, os advogados asseguraram que os Lutz não teriam nenhum problema e conseguiriam os documentos definitivos da escritura na hora certa.

Às 13h, George atravessou a entrada para carros do número 112 da Ocean Avenue, com o caminhão abarrotado com seus pertences, mais a geladeira, a lavadora, a secadora e o freezer dos DeFeo, que estavam em um guarda-móveis. Kathy seguiu com as crianças na van da família, com a motocicleta na traseira. Cinco amigos de George, na faixa dos vinte anos e fortes o bastante para ajudar a carregar os itens mais pesados, estavam esperando. Móveis, caixas, caixotes, barris, sacolas, brinquedos, bicicletas, a motocicleta e várias roupas foram descarregados e colocados no pátio dos fundos da casa e dentro da garagem.

Em seguida, George se dirigiu até a porta da frente, remexendo nos bolsos, procurando a chave. Irritado, voltou para o caminhão e revistou com minúcia, sendo por fim obrigado a admitir para os ajudantes que a tinha perdido. A corretora era a única pessoa que tinha a chave, e a levara quando foi embora, depois da assinatura do contrato. George ligou para ela, que voltou à imobiliária para buscá-la.

Quando a porta enfim foi aberta, as três crianças pularam da van, correram direto para seus brinquedos e deram início ao vai e vem pela casa, em um desfile de carregadores improvisados. Kathy indicou o destino de cada caixa.

Levou algum tempo para transportar os móveis pela escada um tanto estreita que conduzia ao segundo e ao terceiro andar. E, quando o padre Mancuso chegou para abençoar a casa, já passava das 13h30.

AMITYVILLE
JAY ANSON

18 DE DEZEMBRO

2

O padre Frank Mancuso não é apenas um clérigo. Além de cumprir de maneira exemplar suas obrigações sacerdotais, ele ajuda pessoas no serviço de aconselhamento familiar da sua diocese.

Naquela manhã, o padre Mancuso acordou se sentindo inquieto, com algo incomodando. Não conseguia explicar o que era, visto que não tinha nenhuma preocupação específica. De acordo com suas próprias palavras, ao relembrar a inquietação, ele apenas conseguia classificar como uma "sensação ruim".

Durante toda aquela manhã, o padre perambulou pelo seu aposento no presbitério em Long Island, atordoado. Hoje é quinta-feira, pensou. Tenho um almoço em Lindenhurst, depois preciso ir abençoar a residência nova dos Lutz e jantar na casa da minha mãe.

O padre Mancuso tinha conhecido George Lee Lutz dois anos antes. Apesar de George ser metodista, o clérigo ajudara Kathy e George nos dias que antecederam o casamento. Os três filhos eram do primeiro casamento de Kathy e, como cuidava de crianças católicas, o padre Mancuso sentiu necessidade de zelar pelos seus interesses.

O jovem casal convidara com frequência o amigo clérigo de barba bem-aparada para almoçar ou jantar na antiga residência, em Deer Park. Por uma série de imprevistos, o tão esperado encontro nunca aconteceu. Agora, George tinha um motivo muito especial para fazer um novo convite: "Será que ele poderia ir a Amityville para abençoar a casa nova?". O padre Mancuso disse que estaria presente no dia 18 de dezembro.

No mesmo dia em que aceitou o convite de abençoar a casa de George, o padre também marcou um almoço com quatro velhos amigos em Lindenhurst, Long Island. Sua primeira paróquia tinha sido lá. Agora ele estava em alta na diocese e tinha seus próprios aposentos no presbitério de Long Island. Como vivia atarefado e com uma agenda concorrida, era compreensível que tentasse matar dois coelhos com uma cajadada só, visto que Lindenhurst e Amityville ficavam a apenas alguns quilômetros de distância.

O clérigo não conseguiu afastar a "sensação ruim", que perdurou mesmo durante o agradável almoço com os quatro velhos conhecidos. Apesar disso, ele ficou enrolando antes de ir a Amityville, adiando a hora da partida. Seus amigos perguntaram para onde estava indo.

"Para Amityville."

"Para que lugar de Amityville?"

"Para a residência de um casal jovem na faixa dos trinta anos e com três filhos. Eles moram na..." O padre Mancuso consultou um pedaço de papel. "Ocean Avenue, 112."

"Essa é a casa dos DeFeo", comentou um dos amigos.

"Não. O sobrenome é Lutz. George e Kathleen Lutz."

"Você não se lembra dos DeFeo, Frank?", perguntou um dos homens à mesa. "Do que aconteceu no ano passado? O filho matou a família inteira. O pai, a mãe, dois irmãos e duas irmãs. Uma coisa terrível, terrível. Saiu em todos os jornais."

O padre tentou se lembrar. Ele raramente lia as notícias quando pegava um jornal, se detendo apenas nos artigos de seu interesse. "Não, não me lembro mesmo."

Dos quatro homens à mesa, três eram padres e não gostaram nada da ideia. O consenso foi que ele não deveria ir.

"Eu preciso. Prometi que iria."

O padre Mancuso se sentiu apreensivo enquanto percorria os poucos quilômetros até Amityville. Não era pelo fato de estar indo visitar a casa dos DeFeo, tinha certeza, mas por alguma outra coisa...

Passava das 13h30 quando ele chegou. A entrada para carros estava tão atulhada que o padre precisou deixar seu velho Ford marrom na rua. Era uma casa enorme, notou. Que bom para Kathy e para as crianças que o marido tivesse sido capaz de proporcionar uma casa tão bonita!

O padre retirou os objetos eclesiásticos do carro, vestiu a estola, pegou o aspersório e entrou na casa para começar o ritual de bênção. Quando aspergiu as primeiras gotas de água benta e proferiu as palavras que acompanham o gesto, o padre Mancuso ouviu uma voz masculina dizer com terrível clareza: "*Saia daqui!*".

Em choque, ele ergueu o olhar e se virou. Os olhos se arregalaram com assombro. A ordem fora proferida bem às suas costas, mas ele estava sozinho no cômodo. Quem ou o que quer que tenha falado não estava em lugar nenhum!

Quando terminou o ritual de bênção, o padre não mencionou o estranho episódio aos Lutz, que agradeceram pela gentileza e o convidaram para ficar para jantar, já que aquela seria a primeira noite na casa. O padre recusou com educação, explicando que planejava jantar na casa da mãe, em Nassau. Ela já estaria à sua espera, estava ficando tarde e ele ainda tinha um bom caminho pela frente.

Kathy queria muito agradecer ao padre Mancuso pela sua gentileza. George perguntou se ele aceitaria uma contribuição ou uma garrafa de Canadian Club, mas o sacerdote recusou depressa, afirmando que não poderia aceitar gratificações de um amigo.

Uma vez dentro do carro, o padre Mancuso abriu a janela. Depois da reiterada troca de agradecimentos e votos de felicidades, falou com o casal, com uma expressão séria.

"A propósito, George. Almocei com alguns amigos em Lindenhurst antes de vir para cá. Eles comentaram que esta era a casa dos DeFeo. Você sabia disso?"

"Ah, claro. Acho que por isso que estava tão barata. Uma pechincha. Ficou à venda por muito tempo. Mas isso não nos incomoda nem um pouco. É uma casa excelente."

"Que tragédia, padre", comentou Kathy. "Pobre família. Imagine, todos os seis assassinados enquanto dormiam."

Ele aquiesceu. Em seguida, com as três crianças dando tchau, a família observou enquanto o padre se afastava na direção do Queens.

Eram quase 16h quando George terminou de levar o primeiro carregamento para dentro do número 112 da Ocean Avenue. Ele voltou com o caminhão da U-Haul para Deer Park e entrou na antiga entrada para carros. Enquanto abria a porta da garagem, Harry, seu cachorro, saiu e teria fugido se não tivesse sido agarrado pela cabeça a tempo. O rápido e vigoroso cão, uma mistura de malamute e labrador retriever, tinha sido deixado para guardar o restante dos pertences da família. Agora George o levou para dentro do caminhão.

Enquanto o padre Mancuso dirigia para a casa da mãe, tentou pensar de modo racional no que tinha acontecido na casa dos Lutz. Quem ou o que teria dito aquela frase para ele? Com tanta experiência em aconselhamento, ele se deparava de vez em quando durante as sessões com pacientes que afirmavam ouvir vozes — um sintoma de psicose. Só que o padre Mancuso estava convencido da própria sanidade.

Sua mãe o recebeu à porta, então franziu o rosto. "Qual é o problema com você, Frank? Não está se sentindo bem?"

O padre balançou a cabeça. "Não, estou bem."

"Vá até o banheiro e dê uma olhada em seu rosto."

Ao olhar seu reflexo no espelho, viu dois enormes círculos negros debaixo dos olhos, tão escuros que imaginou que deveriam ser manchas de sujeira. Tentou removê-los com água e sabão, mas não adiantou.

De volta a Amityville, George levou Harry para o canil ao lado da garagem e o prendeu com uma guia de aço de 6 m. Agora que já passava das 18h, George estava exausto e decidiu deixar o restante dos pertences no caminhão, apesar do aluguel do veículo estar lhe custando 50 dólares por dia. Ele trabalhou no interior da casa, arrumando a maior parte dos móveis da sala de jantar.

O padre Mancuso foi embora da casa da mãe depois das 20h, tomando o caminho de volta para o presbitério. Na Van Wyck Expressway, no Queens, percebeu que seu carro estava literalmente sendo forçado para o acostamento à direita. Olhou para o lado depressa. Não havia nenhum outro veículo em um raio de 15 m!

Pouco depois de voltar para a pista e continuar o caminho, o capô abriu de repente, se chocando contra o para-brisa. Uma das dobradiças soldadas se desprendeu. A porta direita se abriu com violência! Freneticamente, o padre Mancuso tentou frear o carro. Então, o carro parou sozinho.

Abalado, ele acabou enfim encontrando um telefone e entrou em contato com outro padre, que morava perto da Expressway. Por sorte, o outro clérigo conseguiu levar o colega até uma oficina, e lá o padre Mancuso contratou um guincho para buscar o carro avariado. De volta à Expressway, o mecânico não conseguiu fazer o Ford pegar. O padre Mancuso decidiu deixar o veículo na oficina e pediu que o amigo o levasse para o Presbitério do Sagrado Coração.

Já perto do limite de suas forças, George decidiu concluir o dia de trabalho com algo mais prazeroso. Conectaria seu aparelho de som ao equipamento de hi-fi que os DeFeo tinham instalado na sala de estar. Assim ele e Kathy teriam música para acrescentar à alegria da primeira noite na casa nova.

Mal começara o trabalho quando, de repente, Harry passou a emitir uivos terríveis do lado de fora. Danny entrou correndo em casa, gritando que Harry não estava bem. George disparou até a cerca atrás da casa e encontrou o pobre animal sufocando: Harry tentara pular a cerca e agora estava se asfixiando com a corrente, que tinha ficado enrolada na barra de cima. George soltou Harry, encurtou a guia para que o cachorro não tentasse repetir o pulo e voltou à instalação do aparelho de som.

Uma hora depois de ter voltado aos seus aposentos, o telefone do padre Mancuso tocou. Era o padre que prestara socorro mais cedo. "Sabe o que aconteceu comigo depois de deixar você?"

O padre Mancuso estava quase com medo de perguntar...

"Os limpadores de para-brisa começaram a dançar de um lado para o outro, como loucos! Não consegui fazer parar de jeito nenhum! Nem cheguei a acionar, Frank! Que diabos está acontecendo?"

Por volta das 23h daquela noite, os Lutz estavam prontos para se recolher, prestes a passar a primeira noite na casa nova. Tinha esfriado ainda mais do lado de fora, com a temperatura chegando quase aos 14°C negativos. George queimou algumas caixas de papelão vazias na lareira, acendendo uma fogueira agradável. Era 18 de dezembro de 1975, o primeiro dos 28 dias.

AMITYVILLE
JAY ANSON

DE 19 A 21 DE DEZEMBRO

3

George sentou-se na cama, completamente desperto. Tinha ouvido uma batida na porta da frente.

Olhou em volta na escuridão. Por um momento, não soube onde estava, mas logo se deu conta. Estava no quarto principal de sua casa nova. Kathy estava ali, ao seu lado, encolhida embaixo das cobertas quentinhas.

A batida soou de novo. "Jesus, quem será?", resmungou ele.

George estendeu a mão para seu relógio de pulso, que estava sobre a mesa de cabeceira. Eram 3h15 da manhã! Uma batida alta outra vez. Só que dessa vez não soou como se estivesse vindo do andar de baixo, soou mais como se estivesse vindo de algum lugar à esquerda.

George saiu da cama, andou na ponta dos pés pelo piso frio e sem tapete do corredor e entrou na sala de costura, que dava para o rio Amityville ao fundo. Olhou pela janela e sondou a escuridão. Ouviu outra batida. George forçou a vista para enxergar.

"Onde diabos está o Harry?"

De algum lugar acima de sua cabeça soou um estalo agudo. Ele se abaixou por instinto, depois ergueu os olhos para o teto. Ouviu um rangido baixo. O quarto dos meninos, Danny e Chris, ficava em cima. Um deles deve ter empurrado um brinquedo para fora da cama enquanto dormia.

Como estava descalço e apenas com as calças do pijama, George agora tremia. Voltou a olhar pela janela. Lá! Algo *estava* se mexendo, lá embaixo, perto do abrigo de barcos. Levantou depressa o vidro da janela e foi atingido em cheio pelo ar gélido. "Ei! Quem está aí?" Então Harry latiu e se agitou. Com os olhos ainda se acostumando à escuridão, George viu o cachorro ficar de pé de um pulo. A sombra estava perto de Harry.

"Harry! Pega! Pega!" Outro baque soou perto do abrigo de barcos e Harry girou na direção do barulho. Ele começou a correr para frente e para trás no canil, latindo furioso, mas contido pela guia.

George fechou a janela com força e correu de volta para o quarto. Kathy tinha acordado. "O que houve?" Ela acendeu o abajur sobre sua mesa de cabeceira enquanto George se atrapalhava com as calças. "George?" Kathy viu seu rosto barbudo olhar para cima.

"Está tudo bem, querida. Só quero dar uma olhada lá nos fundos. Harry encontrou alguma coisa perto do abrigo de barcos. Talvez seja um gato. É melhor eu acalmar ele, antes que acorde toda a vizinhança." Ele calçou os mocassins e disparou até a velha jaqueta azul-marinho dos fuzileiros navais, pendurada em uma cadeira. "Já volto. Descanse."

Kathy apagou a luz. "Ok. Vista a jaqueta." Na manhã seguinte, ela nem sequer se lembraria de ter acordado.

Quando George saiu pela porta da cozinha, Harry continuava latindo para a sombra em movimento. Havia um pedaço de madeira de 5 cm por 10 cm encostado na cerca da piscina. George pegou e correu na direção do abrigo de barcos. Então viu a sombra se mover. Apertou com mais força o pedaço de madeira. Outra batida alta.

"Droga!" George viu que era a porta do abrigo de barcos, abrindo e fechando com o vento. "Achei que tinha fechado mais cedo!"

Harry latiu outra vez.

"Oh, cale a boca, Harry! Pare com isso!"

Meia hora depois, George estava outra vez na cama, ainda completamente desperto. Ex-fuzileiro naval há pouco afastado do serviço, estava acostumado com situações de emergência. Mas estava custando a desligar seu sistema de alarme interno.

Enquanto esperava pegar outra vez no sono, refletiu sobre a situação em que tinha se metido — um segundo casamento com três filhos, uma casa nova com uma hipoteca alta. Os impostos em Amityville eram três vezes maiores do que em Deer Park. Será que ele precisava mesmo daquela lancha nova? Como diabos pagaria por tudo aquilo? O mercado da construção estava péssimo em Long Island: havia pouco dinheiro disponível para hipotecas e não parecia que a situação iria melhorar se os bancos não ajudassem. Se as pessoas não estavam construindo casas e comprando terrenos, quem diabos precisaria de um agrimensor?

Kathy se mexeu enquanto dormia e seu braço caiu atravessado sobre o pescoço dele. Ela enfiou o rosto no peito de George, que cheirou seu cabelo. Ela toda tinha um cheiro agradável, pensou. Ele gostava disso. Ela também mantinha os filhos dela assim. Os filhos *dela*? De George, agora. Apesar de todas as dificuldades, ela e os filhos valiam o esforço.

George olhou para o teto. Danny era um bom menino, gostava de tudo e conseguia lidar com quase todos os afazeres que recebia. Estavam ficando mais próximos agora. Danny estava começando a chamar o padrasto de "pai", não mais de "George". De certo modo, George se sentia feliz por não ter conhecido o ex-marido de Kathy: dessa forma sentia que Danny era todo seu. Kathy dizia que Chris era a cara do pai, se portava da mesma maneira, tinha os mesmos cabelos escuros e ondulados e os mesmos olhos. Quando George o repreendia por alguma coisa, o rosto de Chris desmoronava e ele olhava para o padrasto com aqueles olhos emotivos. O garoto com certeza sabia como usá-los.

Ele gostava do jeito como os dois garotos cuidavam da pequena Missy. Ela era uma pestinha, bem esperta para uma criança de 5 anos. George nunca teve problemas com ela desde que conheceu Kathy. Ela era a filhinha do papai, com certeza. "Obedece a Kathy e a mim. Na verdade, todos obedecem. Tenho três crianças ótimas."

Passava das 6h quando George, enfim, mergulhou em um sono profundo. Kathy acordou poucos minutos depois.

Ela passou os olhos por aquele quarto estranho, tentando organizar os pensamentos. Estava no quarto de sua linda casa nova. O marido estava deitado ao lado e os três filhos estavam nos próprios quartos. Não era maravilhoso? Deus fora bom com eles.

Kathy tentou sair devagar debaixo do braço de George. O coitado trabalhou tanto ontem, pensou. E hoje ainda tem mais pela frente. Deixe ele dormir. Mas Kathy não podia continuar deitada: tinha muito o que fazer na cozinha e era melhor começar antes que as crianças acordassem.

No andar de baixo, ela olhou ao redor da cozinha nova. Ainda estava escuro lá fora. Acendeu a luz. Caixas com louças, copos e panelas estavam empilhadas por todo o chão e em cima da pia. Cadeiras ainda repousavam sobre a mesa da cozinha. Apesar disso, sorriu: aquele seria um cômodo feliz para a família. Poderia ser o lugar ideal para a Meditação Transcendental, que George já praticava há dois anos, e ela, há um. Ele tinha se interessado por MT após o fim do primeiro casamento, quando frequentara sessões de terapia em grupo: ali cresceu seu interesse por meditação. George apresentara a prática a Kathy, mas agora, com todo o trabalho de mudança, estava deixando completamente de lado sua rotina de se fechar em um cômodo e meditar por alguns minutos.

Depois de lavar a cafeteira elétrica, Kathy encheu ela de água e ligou na tomada. Também acendeu o primeiro cigarro do dia. Enquanto tomava o café, sentou-se à mesa com um bloco e um lápis, fazendo uma lista dos serviços que precisavam ser feitos ao redor da casa. Era dia 19, uma sexta-feira. As crianças só iriam para a nova escola depois do Natal. Natal! Ainda havia tanta coisa a ser feita...

Kathy sentiu que alguém a observava. Assustada, levantou a cabeça e olhou por cima do ombro. Sua filhinha estava parada na soleira da porta.

"Missy! Você quase me matou de susto. Está tudo bem? O que você está fazendo acordada tão cedo?"

Os olhos da menininha estavam meio fechados. Seu cabelo loiro caía na frente do rosto. Ela olhou em volta, como se não soubesse onde estava.

"Quero ir para casa, mamãe."

"Você *está* em casa, Missy. Esta é a nossa casa nova. Vem cá."

Missy se arrastou até Kathy e subiu no colo da mãe. As duas mulheres da casa ficaram sentadas na agradável cozinha, Kathy ninando a filha até ela pegar no sono.

George desceu depois das 9h. Àquela altura, os meninos já tinham acabado de tomar café da manhã e estavam lá fora, brincando com Harry, investigando tudo. Missy dormia de novo em seu quarto.

Kathy olhou para o marido que, corpulento, preenchia quase todo o vão da porta. Percebeu que ele não tinha raspado os pelos do pescoço e que seu cabelo e sua barba de tom loiro-escuro ainda estavam despenteados. Isso queria dizer que ele não tinha tomado banho.

"O que houve? Você não vai trabalhar hoje?"

George sentou-se à mesa, cansado.

"Não. Ainda tenho que descarregar o caminhão e levá-lo de volta a Deer Park. Queimamos mais cinquenta paus deixando aqui durante a noite." Ele deu uma olhada em volta, bocejando, e estremeceu. "Está frio aqui. Você não ligou o aquecedor?"

Os meninos passaram correndo pela porta da cozinha, gritando para Harry. George ergueu o olhar.

"Qual é o problema com esses dois? Será que você não consegue fazer eles ficarem quietos, Kathy?"

Ela se afastou da pia.

"Não grite comigo! *Você* é o pai deles, sabe! Faça isso você!"

George bateu na mesa com a mão aberta. O estalo alto sobressaltou Kathy.

"Certo!", gritou ele.

George abriu a porta da cozinha e se inclinou para fora. Danny, Chris e Harry passaram correndo de novo, em algazarra.

"Ok! Vocês três! Parem já com isso!" Sem esperar a reação dos meninos, bateu a porta e saiu da cozinha.

Kathy ficou sem palavras. Aquela era a primeira vez que George realmente perdia a paciência com as crianças. E por uma coisinha de nada! Ele não estava de mau humor na véspera.

George descarregou o caminhão U-Haul sozinho, depois o levou a Deer Park, com a motocicleta na traseira para que pudesse voltar para Amityville. Não chegou a se barbear nem a tomar banho, também não fez nada o resto do dia a não ser reclamar da falta de aquecimento na casa e do barulho que as crianças faziam no quarto de brinquedos no terceiro andar.

Esteve insuportável durante todo o dia e, por volta das 23h daquela noite, quando foram se deitar, Kathy estava prestes a acertar um tapa no marido. Estava exausta depois de guardar as coisas e tentar manter as crianças longe de George. Começaria a limpar os banheiros de manhã, imaginou, mas estava na hora de descansar. *Ela* estava indo dormir.

George ficou na sala, alimentando sem parar a lareira com achas de lenha. Apesar do termostato marcar 23°C, ele não conseguia se aquecer. Deve ter verificado o aquecedor a óleo no porão umas doze vezes ao longo do dia e do entardecer.

À meia-noite, George enfim se arrastou até o quarto e adormeceu na hora. Às 3h15 da manhã, estava completamente desperto outra vez, sentado na cama.

Alguma coisa estava incomodando. O abrigo de barcos. Será que tinha fechado a porta? Não conseguia se lembrar. Precisou sair para verificar. Estava fechada e trancada.

Ao longo dos dois dias seguintes, a família Lutz começou a passar por uma mudança coletiva de personalidade. Como George disse: "Não foi nada exagerado, apenas uma coisinha aqui e outra ali". Ele não se barbeava ou tomava banho, coisas que fazia religiosamente. George costumava dedicar o máximo de tempo possível ao seu negócio: dois anos antes, chegara a ter um segundo escritório em Shirley para lidar com empreiteiros na costa sul de Long Island. Agora ele apenas ligava para Syosset e dava ordens mal-educadas para seus funcionários, exigindo que terminassem certos serviços durante o fim de semana porque ele precisava do dinheiro. Quanto a providenciar a mudança de seu escritório para o porão que havia organizado há pouco tempo, ele nem sequer voltou a pensar no assunto.

Em compensação, reclamava o tempo todo que a casa parecia uma geladeira e que precisava aquecê-la. Enfiar cada vez mais lenha na lareira ocupava quase todo o seu tempo, exceto quando ia até o abrigo de barcos, sondava o vazio, depois voltava para dentro de casa. Mesmo agora, não seria capaz de dizer o que procurava quando ia lá: apenas sabia que era de alguma maneira atraído para aquele lugar.

Era praticamente uma obsessão. Na terceira noite na casa, voltou a acordar às 3h15, preocupado com o que poderia estar acontecendo lá fora.

Também se incomodava com as crianças. Desde a mudança, era como se tivessem se transformado em fedelhos, monstros mal-educados que não obedeciam, crianças rebeldes que precisavam de castigos severos.

Kathy se viu com a mesma indisposição com as crianças. Ela estava estressada devido ao clima tenso com George e, também, com os esforços em tentar deixar a casa em ordem para o Natal. Na quarta noite na casa, ela perdeu o controle e, junto do marido, deu uma surra em Danny, Chris e Missy usando uma cinta e uma colher de madeira grande e pesada.

As crianças tinham quebrado sem querer a vidraça de uma janela em meia-lua do quarto de brinquedos.

AMITYVILLE
JAY ANSON

22 DE DEZEMBRO

4

Estava fazendo um frio cortante na manhã de segunda-feira. Amityville fica na costa de Long Island que dá para o Atlântico e o vento marítimo soprava como uma tempestade noroeste. O termômetro beirava os 13°C negativos e os meteorologistas previam um Natal repleto de neve.

No interior do número 112 da Ocean Avenue, Danny, Chris e Missy Lutz estavam no quarto de brinquedos, um pouco mais calmos em virtude da surra da noite anterior. George ainda não fora ao escritório e estava sentado na sala, colocando mais lenha na fogueira ardente. Kathy escrevia à mesa no canto da cozinha.

Enquanto anotava em uma lista as coisas que precisavam comprar para o Natal, sua mente começou a divagar. Estava chateada por ter batido nas crianças, ainda mais daquela maneira. Havia muitos presentes que a família Lutz ainda não comprara e Kathy sabia que teria que dar uma volta para achar todos mas, desde que se mudaram, não sentia nenhuma vontade de sair de casa. Kathy tinha acabado de anotar o nome da tia Theresa quando congelou, o lápis suspenso no alto.

Algo se aproximara por trás e a abraçara, antes de pegar e afagar sua mão. O toque foi reconfortante e tinha uma força inerente. Kathy ficou surpresa, mas não assustada: era como o toque de uma mãe consolando a filha. Kathy teve a impressão de que havia a mão suave de uma mulher pousada sobre a sua!

"Mamãe! Sobe aqui, rápido!" Era Chris, chamando do corredor do terceiro andar.

Kathy ergueu o olhar. O encanto se quebrou, o toque desapareceu. Ela subiu correndo a escada. Os filhos estavam no banheiro, olhando dentro da privada. Kathy viu que o interior do vaso estava todo preto, como se alguém tivesse pintado do fundo até pouco abaixo da borda. Deu descarga, e a água limpa esguichou nas laterais. A substância preta permaneceu.

Kathy pegou papel higiênico e tentou, em vão, esfregar a sujeira.

"Não acredito nisso! Eu esfreguei isso aqui com Clorox ontem mesmo!" Ela se virou para as crianças com um olhar acusador. "Vocês jogaram tinta aqui dentro?"

"Oh, não, mamãe!", responderam os três ao mesmo tempo.

Kathy estava soltando fogo pelas ventas e já não se lembrava do que tinha acabado de acontecer na cozinha. Olhou dentro da pia e da banheira, que continuavam brilhando depois da esfregação do dia anterior. Abriu as torneiras: nada a não ser água limpa. Deu descarga mais uma vez, sem muita esperança de que a mancha horrível fosse desaparecer.

Ela se agachou e olhou em volta do vaso para ver se alguma coisa estava vazando para dentro da privada. Depois de um tempo, se virou para Danny.

"Vá pegar o Clorox no meu banheiro. Está no armarinho embaixo da pia."

Missy fez menção de seguir o irmão.

"Missy! Você fica aqui! Deixe o Danny ir pegar." O menino saiu do banheiro. "E traga a escova de limpeza também!", gritou Kathy para ele.

Chris sondou o rosto da mãe, com olhos lacrimejantes.

"Não fui eu. Por favor, não bata em mim de novo."

Kathy olhou para ele, lembrando-se da terrível noite anterior.

"Não, querido, não foi culpa sua. Acho que aconteceu alguma coisa com a água. Talvez um pouco de óleo tenha subido pelo cano. Vocês não perceberam isso antes?"

"Eu que vi! Eu estava apertada", se gabou Missy.

"Uh-huh. Bom, vamos ver o que a gente consegue fazer com o Clorox aqui antes de incomodar seu pai, porque ele..."

"Mamãe! Mamãe!" O grito veio de mais além no corredor.

Kathy inclinou o tronco para fora da porta do banheiro.

"O que foi, Danny? Eu disse que está embaixo da pia!"

"Não, mamãe! Eu achei! Mas o negócio preto está na sua privada também! E está fedendo!"

A porta do banheiro de Kathy ficava na extremidade do seu quarto. Quando ela e os outros dois filhos chegaram correndo, Danny estava parado do lado de fora do cômodo, prendendo o nariz.

Assim que Kathy entrou no quarto, foi atingida por um cheiro — um aroma adocicado de perfume. Ela parou, fungou e franziu a testa.

"O que diabos é *isso?* Esse não é meu perfume."

Já quando entrou no banheiro, foi atingida por um cheiro completamente diferente: um fedor nauseante. Kathy engasgou e começou a tossir mas, antes de sair às pressas, teve um vislumbre do vaso sanitário. Estava todo preto por dentro!

As crianças se encolheram para sair do caminho da mãe enquanto ela descia as escadas.

"George!"

"O que você quer? Estou ocupado!"

Kathy entrou em disparada na sala de estar e correu até George, que estava agachado perto da lareira.

"É melhor você vir dar uma olhada! Tem uma coisa no nosso banheiro que tem cheiro de rato morto! E a privada está toda preta!" Ela agarrou a mão dele e o puxou para fora da sala.

A privada do outro banheiro no segundo andar também estava preta por dentro, como George descobriu, mas não tinha cheiro. Ele sentiu o aroma de perfume no quarto do casal.

"O que diabos é isso?"

Começou a abrir as janelas do segundo andar.

"Primeiro, vamos nos livrar desse cheiro!" Abriu as janelas do quarto do casal, depois correu até os outros cômodos, do outro lado do corredor. Então ouviu a voz de Kathy.

"George! Venha ver isto!"

O quarto cômodo do segundo andar — transformado em sala de costura para Kathy — tem duas janelas. Uma tem vista para o abrigo de barcos e para o rio Amityville, a mesma que George abriu naquela primeira noite, quando acordara às 3h15. A outra se abre para a casa vizinha à direita do número 112 da Ocean Avenue. Nessa janela, grudadas na vidraça, havia literalmente centenas de moscas zumbindo!

"Jesus, olhe só isso! Moscas em pleno *inverno*?"

"Talvez tenham sido atraídas pelo cheiro", opinou Kathy.

"É, mas não nessa época do ano. Moscas não vivem tanto tempo assim, muito menos com esse clima. E por que só nessa janela?" George olhou em volta do quarto, tentando ver de onde os insetos tinham surgido. Como havia um closet em um dos cantos, ele abriu a porta e espiou o interior, procurando rachaduras — qualquer coisa que fizesse sentido.

"Se o fundo desse closet ficasse contra a parede do banheiro, elas poderiam ter sobrevivido com o calor. Mas essa parede dá para fora." George colocou a mão no estuque. "Está frio aqui. Não vejo como poderiam ter sobrevivido."

Depois de enxotar a família para o corredor, George fechou a porta da sala de costura. Abriu a outra janela, que dava para o abrigo de barcos, depois pegou alguns jornais e espantou o maior número de moscas que conseguiu. Matou as que restaram e, em seguida, fechou a janela. Àquela altura, o segundo andar estava congelando, mas ao menos o aroma adocicado de perfume se dissipara. O fedor no banheiro também tinha diminuído.

O episódio não ajudou George em seus esforços para aquecer a casa. Embora ninguém mais estivesse reclamando, ele foi verificar o sistema de aquecimento a óleo no porão. Estava funcionando bem. Por volta das 16h, o termostato ao lado da sala de estar marcava 26°C, mas George não sentia o calor.

Kathy tinha esfregado as privadas outra vez com Clorox, Fantastik e Lysol. Os produtos de limpeza ajudaram um pouco, mas boa parte do preto permaneceu, manchas profundas na porcelana. De todas, a privada que ficou em pior estado foi a do banheiro ao lado da sala de costura.

A temperatura externa tinha subido para 6°C negativos, e as crianças estavam fora da casa, brincando com Harry. Kathy mandou que os filhos ficassem longe do abrigo de barcos e da área da amurada de madeira perto do rio, dizendo que era perigoso brincar ali sem ninguém por perto.

George levara para dentro um pouco mais de lenha da pilha estocada na garagem e estava sentado na cozinha com Kathy. Eles começaram uma discussão acalorada sobre quem deveria sair para comprar os presentes de Natal.

"Por que você não pode pelo menos comprar o perfume para sua mãe?", perguntou George.

"Preciso deixar essa casa em ordem", explodiu Kathy. "Não vejo você fazer nada a não ser reclamar!"

Depois de alguns minutos, o tom da discussão baixou. Kathy estava prestes a mencionar o misterioso incidente que presenciou naquela manhã no canto da cozinha quando, de repente, a campainha tocou.

Um homem, que pelas entradas devia ter entre 35 e 45 anos, estava parado ali, com um sorriso hesitante no rosto e um pack de seis cervejas nas mãos. Suas feições eram grosseiras, e o nariz estava vermelho por causa do frio.

"A vizinhança quer dar as boas-vindas. Vocês não se importam, não é?"

O sujeito usava um casaco de lã que descia até a metade das coxas, calças de veludo cotelê e botas de segurança. George pensou que ele não aparentava ser proprietário de uma das grandes casas da área.

Antes da mudança para Amityville, George e Kathy já tinham considerado a hipótese de receber os vizinhos, mas depois que chegaram na casa nova não tinham voltado a conversar sobre o assunto. George assentiu para o comitê de boas-vindas de um homem só.

"Não, não nos importamos. Se não ligarem de se sentar em caixas de papelão, pode trazer todos."

George acompanhou o vizinho até a cozinha e apresentou Kathy. O homem ficou ali parado e repetiu para ela o que tinha dito a George. Kathy assentiu. O visitante prosseguiu contando aos Lutz que guardava seu barco no abrigo de outro vizinho, algumas casas mais abaixo da Ocean Avenue.

O homem não desgrudou do pack de seis cervejas. Até que disse: "Como eu trouxe, vou levar de volta", e foi embora.

George e Kathy não chegaram a descobrir o nome do sujeito. Nunca mais o viram.

Quando foram se deitar naquela noite, George conferiu as portas e janelas como sempre, trancando todas de dentro e de fora da casa. Por isso, quando acordou mais uma vez às 3h15 e cedeu à tentação de verificar o andar de baixo, ficou aturdido ao encontrar a porta de madeira da frente, que pesava 113 kg, arrombada e presa por uma única dobradiça!

AMITYVILLE
JAY ANSON

23 DE DEZEMBRO

5

Kathy acordou com o barulho de George se debatendo com a porta arruinada. Quando ela sentiu o ar frio dentro da casa, vestiu o roupão, correu para baixo e encontrou o marido tentando forçar a pesada placa de madeira de volta ao batente.

"O que aconteceu?"

"Não *sei*", respondeu George, depois de enfim conseguir fechar a porta. "Estava escancarada, presa só em uma dobradiça. Aqui, olhe isto!" Ele apontou para o espelho da fechadura de latão. A maçaneta estava completamente retorcida. O revestimento de metal estava dobrado para trás, como se alguém tivesse tentado abrir com uma ferramenta, mas pelo lado de *dentro!* "Alguém estava tentando *sair* da casa, não entrar!"

"Não entendo o que está acontecendo", prosseguiu George, mais falando sozinho do que com Kathy. "Tenho certeza de que fechei a porta antes de deitar. Para abrir a porta daqui de dentro era só virar a fechadura."

"A parte de fora também ficou assim?", perguntou Kathy.

"Não. Não tem nada de errado com a maçaneta ou com o espelho do lado de fora. Só alguém muito forte conseguiria puxar uma porta tão pesada assim a ponto de arrancar das dobradiças..."

"Talvez tenha sido o vento, George", sugeriu Kathy, esperançosa. "Ele parece soprar bem forte lá fora, sabe."

"Não tem vento nenhum *aqui dentro*. Sem falar que seria preciso um tornado. Não, alguém ou alguma coisa deve ter feito isso!"

Eles trocaram um olhar. Kathy foi a primeira a reagir. "As crianças!" Ela se virou, subiu a escada em disparada até o segundo andar e entrou no quarto de Missy.

Um pequeno abajur com o formato do Zé Colmeia estava ligado em uma tomada, perto do pé da cama da menininha. À meia-luz, Kathy vislumbrou o contorno de Missy deitada de bruços. "Missy?", sussurrou Kathy, se inclinando sobre a cama. Missy resmungou, depois virou e se deitou de costas.

Kathy soltou um suspiro de alívio e puxou as cobertas até o queixo da filha. O ar gelado que entrara pela porta arrombada tinha deixado até mesmo aquele quarto muito frio. Ela deu um beijo na testa de Missy e saiu do quarto na ponta dos pés, seguindo para o terceiro andar.

Danny e Chris dormiam a sono solto, de bruços. "Depois percebi que aquela foi a primeira vez que me lembro de ter visto as crianças dormindo naquela posição, ainda mais os três ao mesmo tempo. Lembro que quase cheguei a comentar com George, que aquilo era um pouco estranho", diria Kathy.

De manhã, a frente fria que atingira Amityville seguia forte. Estava tudo cinza e o rádio continuava prevendo neve para o Natal. No vestíbulo da casa dos Lutz, o termostato continuava marcando 26°C, mas George estava de volta à sala, atiçando as chamas até virarem crepitantes labaredas. Ele disse a Kathy que não conseguia afastar o frio dos ossos e não entendia por que ela e as crianças também não se sentiam assim.

A substituição da maçaneta e do mecanismo da fechadura da porta da frente era um trabalho complexo demais mesmo para uma pessoa habilidosa como George. O chaveiro local chegou por volta das 12h, como prometera. Fez um exame demorado e minucioso dos estragos dentro da casa e, então, lançou um olhar estranho para George, mas não deu nenhuma explicação de como algo assim poderia ter acontecido.

Terminou o serviço com rapidez e em silêncio. Ao sair, apenas comentou que foi procurado pelos DeFeo há alguns anos: "Estavam tendo problemas com a fechadura da porta do abrigo de barcos". Ele fora chamado para trocar o mecanismo da fechadura porque, quando a porta era fechada pelo lado de dentro, emperrava de alguma maneira, impossibilitando que quem estivesse dentro do abrigo conseguisse sair.

George até queria conversar mais sobre o abrigo de barcos mas, quando Kathy lhe lançou um olhar, se conteve. Eles não queriam que se espalhassem por Amityville notícias de que outra vez algo estranho estava acontecendo no número 112 da Ocean Avenue.

Por volta das 14h, a temperatura tinha começado a subir. Uma garoa fina bastou para manter as crianças dentro de casa. George ainda não tinha ido trabalhar e estava em um constante vai e vem entre a sala de estar e o porão, acrescentando lenha à lareira e verificando o aquecedor a óleo. Danny e Chris estavam no quarto de brinquedos no terceiro andar, fazendo algazarra com seus brinquedos. Kathy tinha voltado às tarefas domésticas, forrando as prateleiras dos armários com papel decorativo. Estava quase chegando ao próprio quarto no segundo andar quando olhou para dentro do quarto de Missy. A menininha estava sentada em sua minúscula cadeira de balanço, cantarolando sozinha, olhando para fora da janela que dava para o abrigo de barcos.

Kathy estava prestes a falar com a filha quando o telefone tocou. Ela atendeu, através da extensão no quarto do casal. Era sua mãe, dizendo que faria uma visita no dia seguinte — véspera de Natal — e que o irmão de Kathy, Jimmy, levaria uma árvore de Natal como presente pela casa nova.

Kathy comentou como se sentia aliviada, porque pelo menos a árvore seria providenciada, já que ela e George não tinham conseguido fazer nenhuma das compras. Foi quando ela viu, pelo canto do olho, Missy sair do quarto e entrar na sala de costura. Kathy dividia sua atenção entre o que a mãe estava falando e Missy. O será que sua filha queria lá dentro, onde todas aquelas moscas tinham aparecido no dia anterior? Ela podia ouvir a filha de 5 anos cantarolando, mexendo em algumas caixas ainda fechadas.

Kathy estava a ponto de interromper a mãe quando viu Missy deixar a sala de costura. Quando a criança saiu para o corredor e voltou para o quarto, parou de cantarolar. Intrigada com o comportamento da filha, Kathy encerrou a conversa com a mãe, agradecendo de novo pela árvore. Depois de desligar o telefone, andou em silêncio até o quarto de Missy e parou na soleira da porta.

Missy tinha voltado a se sentar na cadeira de balanço, olhando outra vez pela janela e cantarolando de novo, uma melodia que não soava familiar. Kathy já ia falar quando, de repente, Missy parou de cantarolar e, sem virar a cabeça, perguntou: "Mamãe? Os anjos falam?".

Kathy fitou a filha. A garotinha sabia que ela estava ali o tempo todo! No entanto, antes que chegasse a entrar no quarto, Kathy se assustou com um estrondo vindo de cima. Os garotos estavam lá. Assustada, ela correu escada acima até o quarto de brinquedos. Danny e Chris rolavam no chão, engalfinhados, trocando socos e pontapés.

"O que está acontecendo aqui?", gritou Kathy. "Danny! Chris! Parem com isso agora mesmo, estão me ouvindo?!" Ela tentou apartar os dois, mas um ainda tentava acertar o outro, ambos com os olhos repletos de ódio. Chris chorava de raiva. Era a primeira vez, *na vida*, que os irmãos brigavam.

Ela deu um tapa forte no rosto de cada um e exigiu saber o que tinha acontecido.

"Foi o Danny que começou", choramingou Chris.

"Mentiroso! Chris, foi *você* que começou", Danny encarou o irmão, furioso.

"Começou *o quê*? Por que vocês estavam brigando?" Kathy quis saber, o tom da voz aumentando. Nenhum dos meninos respondeu. De repente, se afastaram da mãe. Seja lá o que tivesse acontecido, Kathy compreendeu que eles não abririam o jogo.

Então sua paciência se esgotou.

"O que está acontecendo aqui? Primeiro vem a Missy com os anjos dela e agora vocês dois, como idiotas, tentando se matar! Bom, pra mim já chega! Vamos ver o que o pai de vocês tem a dizer sobre isso. Vocês vão receber o que merecem mais tarde, mas agora não quero ouvir mais nem um pio! Estão me ouvindo? Nem mais um pio!"

Tremendo, Kathy voltou para suas prateleiras no andar de baixo. Fique calma, disse para si mesmo. Quando passou pelo quarto de Missy outra vez, a garotinha cantarolava a mesma melodia. Kathy quis entrar, mas pensou melhor e seguiu até o próprio quarto. Conversaria com George mais tarde, depois que tivesse conseguido se acalmar.

Kathy pegou um rolo de papel decorativo e abriu a porta do closet. No mesmo instante, um cheiro podre invadiu suas narinas. "Oh, Deus! O que é isso?" Ela puxou a cordinha da luz pendurada no teto e passou os olhos pelo pequeno cômodo. Estava vazio, exceto por um item. Logo no primeiro dia de mudança dos Lutz, ela pendurara um crucifixo na parede dos fundos do closet, assim como fizera quando moravam em Deer Park. Uma amiga lhe dera o crucifixo como presente de casamento. Feito de prata, era uma linda peça de 30 cm de comprimento, que fora abençoada muito tempo atrás.

Quando observou a imagem, seus olhos se arregalaram de terror. Estava sentindo ânsia de vômito por causa do cheiro podre, mas não conseguia desgrudar os olhos do crucifixo — agora pendurado de cabeça para baixo!

AMITYVILLE
JAY ANSON

24 DE DEZEMBRO

6

Fazia quase uma semana desde a visita do padre Mancuso ao número 112 da Ocean Avenue. Embora os misteriosos episódios daquele dia e daquela noite ainda estivessem frescos em sua mente, ele não havia comentado nada com ninguém — nem com George e Kathy Lutz, nem com seu confessor.

Na noite do dia 23, o padre pegara um resfriado e ora sentia frio, ora calor. Quando por fim se levantou para medir sua temperatura, o termômetro marcou 39°C. Ele tomou algumas aspirinas, esperando que a febre baixasse. Como era época de Natal, precisava cumprir uma série de deveres eclesiásticos — em suma, uma péssima hora para um padre se sentir indisposto.

O padre Mancuso mergulhou em um sono agitado. Por volta das 4h da manhã da véspera de Natal, depois de acordar e constatar que sua temperatura tinha subido para 40°C, procurou o pastor. O amigo decidiu que era melhor chamar um médico. Enquanto esperava pelo doutor, o padre Mancuso pensou de novo na família Lutz.

Havia algo que ele não conseguia compreender direito. Ele ficava visualizando um cômodo que acreditava estar localizado no segundo andar da casa. Ainda que estivesse atordoado, conseguia ver a imagem com clareza em sua mente.

O cômodo estava repleto de caixas fechadas quando ele abençoou a casa. Além disso, ele se lembrava de ver o abrigo de barcos através das janelas.

O padre Mancuso se lembra de que, quando esteve de cama, sussurrou a palavra "mal" para si mesmo, mas acha que a febre alta pode ter brincado com sua imaginação. Também se lembra de sentir um impulso, que beirava a obsessão, de ligar para os Lutz e adverti-los para que ficassem longe daquele cômodo a qualquer custo.

Na mesma hora, em Amityville, Kathy Lutz também pensava no cômodo do segundo andar. De vez em quando, Kathy sentia a necessidade de ficar sozinha e aquele poderia ser seu refúgio. Chegara a cogitar usar aquele quarto, junto da cozinha, como um local para meditação. Além disso, aquele terceiro cômodo no segundo andar faria as vezes de quarto de vestir para o guarda-roupas cada vez maior dela e de George.

Em meio às caixas na sala de costura, havia algumas com os enfeites de Natal que ela havia juntado ao longo dos anos. Estava na hora de desembrulhar as bolas e as luzes, prepará-las para serem colocadas na árvore que a mãe e o irmão tinham prometido levar naquela noite.

Depois do almoço, Kathy pediu que Danny e Chris levassem as caixas para a sala de estar. Como George estava mais interessado na lareira, dividiu sua atenção entre alimentar o fogo e cuidar das luzes de Natal, testando muitas lâmpadas coloridas e desemaranhando os fios. Durante as horas seguintes, Kathy e as crianças se encarregaram de retirar o papel de seda que protegia as delicadas bolas de cores brilhantes, os pequenos anjos de madeira e vidro, os enfeites de Papai Noel, os patinadores, as bailarinas, as renas e os bonecos de neve que Kathy acrescentara ano a ano, à medida que as crianças cresciam.

Cada criança tinha seus enfeites favoritos e os colocavam com cuidado sobre as toalhas que Kathy tinha espalhado pelo chão. Algumas peças remontavam ao primeiro Natal de Danny.

Só que naquele dia as crianças admiravam um enfeite que George trouxera para sua nova família. Fazia parte de sua herança: uma galáxia sem igual, composta por luas crescentes e estrelas trabalhadas em prata esterlina e ouro 24 quilates. Havia uma alça na parte de trás do enfeite de 15 cm, o que permitia que fosse pendurado em uma árvore. Feita na Alemanha há mais de um século, a peça fora dada a George pela avó, que por sua vez ganhara das mãos da própria avó.

O médico tinha chegado e partido do presbitério. Ele confirmou que o padre Mancuso estava mesmo com gripe e aconselhou que ficasse de cama por mais ou menos um dia. A febre poderia permanecer alta por mais 24 horas.

O padre Mancuso ficou incomodado com a ideia de ficar de braços cruzados. Tinha tanto trabalho a fazer. Concordou que alguns compromissos de sua concorrida agenda poderiam ser adiados por uma semana, mas certos encontros do aconselhamento familiar não podiam ser desmarcados, porque as pessoas precisavam dele. Apesar disso, o médico e o pastor insistiram que o padre Mancuso estaria apenas prolongando a doença se teimasse em trabalhar ou sair dos aposentos.

No entanto, havia uma coisa que ele ainda poderia fazer: ligar para George Lutz. Seu pressentimento ruim em relação ao cômodo no segundo andar permanecia, causando tanto a inquietação quanto a febre. Quando enfim fez a ligação, já eram 17h.

Danny atendeu e correu para chamar o pai. Kathy ficou surpresa pelo telefonema, mas George não. Sentado perto da lareira, tinha pensado no padre o dia inteiro. George sentira uma ânsia de ligar para o padre Mancuso, mas não sabia ao certo o que dizer.

Ele lamentava muito pelo resfriado do padre Mancuso e perguntou se havia alguma coisa que pudesse fazer. Depois do padre agradecer a preocupação e dizer que só precisava de repouso, George começou a falar sobre o que estava acontecendo na casa. A princípio, a conversa foi leve: George contou ao padre Mancuso sobre os enfeites levados para a sala e sobre a decoração da árvore de Natal, que seu cunhado Jimmy entregaria a qualquer momento.

O padre Mancuso interrompeu George.

"Preciso falar com você a respeito de algo que estive pensando. Sabe aquele cômodo no segundo andar, com a janela que dá para o abrigo de barcos? Aquele onde vocês guardaram todas as caixas e os caixotes fechados?"

"Claro, padre. Quando eu conseguir dar um jeito, será a sala de costura e meditação de Kathy. Aliás, sabe o que encontramos lá outro dia? Moscas! Centenas de moscas! Dá para imaginar? No meio do inverno!"

George aguardou pela resposta do padre, que veio:

"George, não quero que vocês entrem naquele quarto. Nem você, nem a Kathy, nem as crianças. Vocês têm que ficar bem longe dele!"

"Por que, padre? Tem algo errado com ele?"

Antes que o padre tivesse tempo de responder, houve um som crepitante na linha. Surpresos, os dois homens afastaram os fones do ouvido. George não conseguiu entender as palavras seguintes do padre Mancuso. Tudo o que restou foi um irritante ruído de estática.

"Alô! Alô! Padre? Não estou conseguindo ouvir você! A ligação deve estar ruim!"

Do outro lado da linha, o padre Mancuso também tentava ouvir através do ruído, mas só escutava baixinho George falando "alô". Então desligou e voltou a discar o número dos Lutz. Ouvia o telefone tocando, mas ninguém atendeu. O padre esperou dez toques até que por fim desistiu, muito perturbado.

Sem ouvir o padre Mancuso através do chiado, George também desligou o telefone. Esperou o padre refazer a ligação. Durante vários minutos ficou sentado na cozinha, encarando o telefone em silêncio. Então discou o número do padre Mancuso no presbitério.

Ninguém atendeu.

Na sala de estar, Kathy começou a embrulhar os poucos presentes de Natal que tinha comprado antes da mudança para Amityville. Fizera compras na Sears e no Green Acres Shopping Center em Valley Stream, aproveitando promoções de roupas para as crianças e outros itens para sua família e para George. Kathy notou com tristeza que a pilha de embrulhos estava bem pequena e se repreendeu em silêncio por não ter saído de casa para fazer compras. Havia poucos brinquedos para Danny, Chris e Missy, mas era tarde demais para fazer algo a respeito.

Tinha mandado as crianças para o quarto de brinquedos para que pudesse arrumar os embrulhos sozinha. Pensou em Missy. Não tinha respondido à pergunta da filha sobre anjos que falam — Kathy ganhara tempo dizendo que perguntaria isso para o papai. Mas ela e George não tocaram no assunto quando foram para a cama. De onde Missy havia tirado uma ideia dessas? Será que tinha relação com o estranho comportamento da filha no quarto, no dia anterior? E o que ela estava procurando na sala de costura?

O devaneio de Kathy foi interrompido quando George voltou para a sala, depois de atender o telefone na cozinha. Estava com uma expressão estranha no rosto e evitava o olhar dela. Kathy esperava que o marido contasse o que o padre Mancuso queria quando, então, a campainha tocou. Ela olhou em volta, alarmada.

"Deve ser minha mãe! George, eles já chegaram e eu nem comecei a preparar o jantar!" Ela saiu correndo para a cozinha. "Abre a porta para mim!"

O irmão de Kathy, Jimmy Conners, era um jovem grandão e robusto, que gostava de George de verdade. Naquela noite, seu rosto transmitia um entusiasmo e um charme todo especial. Ele se casaria um dia depois do Natal e convidara George para ser padrinho. Mas quando entraram na casa, com Jimmy carregando um pinheiro de tamanho considerável, mãe e filho mudaram de expressão ao ver George, que não se barbeava nem tomava banho há quase uma semana. A mãe de Kathy, Joan, ficou horrorizada.

"Onde estão Kathy e as crianças?", perguntou a George.

"Ela está preparando a janta e as crianças estão lá em cima, brincando. Por quê?"

"Só tive a sensação de que algo estava errado."

Como aquela era a primeira vez que a sogra e o cunhado visitavam a casa, George teve que mostrar à sogra onde ficava a cozinha. Depois ele e Jimmy levaram a árvore até a sala de estar.

"Rapaz! Você tem uma fogueira e tanto aqui!"

George explicou que não conseguia se aquecer de jeito nenhum. Estava tentando desde que se mudaram e já tinha queimado dez achas só naquele dia.

"É", concordou Jimmy. "Está mesmo um pouco frio aqui. Será que tem alguma coisa errada com o aquecedor ou com o termostato?"

"Não", respondeu George. "O aquecedor a óleo está funcionando bem e o termostato está marcando 26°C. Venha comigo até o porão que eu mostro para você."

No presbitério, o médico avisara o padre Mancuso de que a temperatura corporal de uma pessoa costuma subir depois das 17h. Embora estivesse passando mal e com dores no estômago, o padre continuava analisando mentalmente os estranhos problemas que os Lutz estavam enfrentado com o telefone.

Já eram 20h e suas reiteradas tentativas de entrar em contato com George não deram nenhum resultado. Ele pedira diversas vezes à telefonista que verificasse se o telefone dos Lutz estava com problemas. Em cada oportunidade, o telefone tocava sem parar até que um supervisor retornava para relatar que não havia nenhuma falha técnica com a linha.

Por que George não havia retornado a ligação? O padre Mancuso tinha certeza de que George ouvira seu alerta sobre o cômodo no segundo andar. Teria acontecido algo terrível? O padre Mancuso não confiava na casa. Como não conseguia mais esperar de braços cruzados, ligou para um número que costumava usar apenas em emergências.

A árvore estava em pé na sala dos Lutz. Danny, Chris e Missy ajudavam o tio Jimmy com a decoração, cada um insistindo que *seus* enfeites fossem pendurados primeiro. George retornara ao seu mundinho perto da lareira. Kathy e a mãe conversavam na cozinha: aquele era seu cômodo "feliz", o único lugar onde se sentia segura na casa nova.

Ela reclamava com a mãe sobre a transformação no comportamento de George desde a mudança.

"Ele não quer tomar banho, não quer se barbear, mãe. Nem sair de casa para ir ao escritório ele sai. Tudo o que faz é ficar sentado perto daquela maldita lareira, reclamando do frio. E tem mais: toda noite ele sai para verificar o abrigo de barcos."

"O que ele está procurando?", perguntou a sra. Conners.

"Vai saber... Ele apenas diz que precisa dar uma olhada lá fora... para verificar o barco."

"Isso não parece coisa do George. Você perguntou se ele está preocupado com algo?"

"Oh, claro!" Kathy jogou as mãos para o alto. "E tudo o que ele faz é continuar alimentando o fogo! Em uma semana, a gente usou quase uma pilha inteira de achas de lenha."

A mãe de Kathy estremeceu e apertou mais o suéter em volta do corpo.

"Bem, está mesmo um pouco frio aqui dentro. Eu senti assim que entrei na casa."

De pé em uma cadeira na sala de estar, Jimmy estava prestes a pendurar o enfeite de George no topo da árvore. Ele também estremeceu.

"Ei, George, tem alguma porta aberta em algum lugar? Estou sentindo uma corrente de ar na nuca."

George olhou para cima.

"Não, acho que não. Tranquei tudo mais cedo." Ele sentiu um ímpeto de verificar a sala de costura no segundo andar. "Já volto."

Kathy e a sra. Conners passaram por ele quando entraram na sala. George não disse uma palavra sequer para elas, apenas subiu a escada correndo.

"O que ele tem?", perguntou a sra. Conners.

Kathy apenas deu de ombros. "Está vendo o que quero dizer?" Ela começou a arrumar os presentes de Natal embaixo da árvore. Assim que Danny, Chris e Missy terminaram de contar os poucos pacotes embrulhados com capricho, houve um coro de vozes desanimadas atrás dela.

"Do que é que vocês estão reclamando?" George tinha voltado e agora estava parado na soleira da porta. "Parem com isso! Deixem de ser mimados!"

Kathy estava prestes a censurar o marido por ter gritado com as crianças na frente da mãe e do irmão quando notou a expressão no rosto de George.

"Você abriu a janela da sala de costura, Kathy?"

"Eu? Nem subi lá hoje."

George se virou para as crianças, que estavam paradas perto da árvore. "Danny, Chris e Missy, por acaso alguém esteve naquele quarto desde que os presentes foram trazidos para a árvore?" Os três balançaram a cabeça, negativamente. George continuava na mesma posição na soleira da porta. Seus olhos se voltaram para Kathy.

"George, o que foi?"

"Uma janela está aberta. E as moscas voltaram."

Crack! Todos na sala pularam com o estrondo alto que veio de algum lugar fora da casa. Mais uma vez, houve uma batida forte e, do lado de fora, Harry latiu.

"A porta do abrigo de barcos! Está aberta de novo!" George se voltou para Jimmy. "Não saia de perto deles! Volto logo!" Ele apanhou a jaqueta no armário do corredor e seguiu para a porta da cozinha. Kathy começou a chorar.

"Kathy, o que está acontecendo?", perguntou a sra. Conners, levantando a voz.

"Oh, mamãe! Eu não sei!"

Um homem vigiava quando George saiu de uma porta lateral e correu para os fundos da casa. Ele sabia que era a porta da cozinha porque já estivera no número 112 da Ocean Avenue. Estava sentado em um carro estacionado na frente da casa dos Lutz e observou George fechar a porta do abrigo de barcos.

Conferiu o relógio. Eram quase 23h. O homem pegou o microfone do rádio do carro.

"Zammataro. Aqui é Gionfriddo. Pode ligar para seu amigo e dizer que tem gente em casa no número 112 da Ocean Avenue." O sargento Al Gionfriddo, do Departamento de Polícia do Condado de Suffolk, estava de serviço naquela véspera de Natal, assim como estivera na noite da chacina da família DeFeo.

AMITYVILLE
JAY ANSON

25 DE DEZEMBRO

7

Pela sétima noite consecutiva, George acordou às 3h15 em ponto. Sentou-se na cama. À luz do luar que preenchia o quarto, podia ver Kathy com muita clareza. Ela dormia de bruços.

George esticou a mão para fazer um carinho na cabeça dela. Nesse instante, Kathy acordou. Enquanto ela olhava em volta em desespero, George pôde ver o medo em seus olhos.

"Ela foi baleada na cabeça", berrou Kathy. "Ela foi baleada na cabeça! Ouvi os disparos dentro da minha cabeça!"

O detetive Gionfriddo teria entendido o que havia assustado e acordado Kathy. Após a investigação preliminar na noite dos assassinatos dos DeFeo, Gionfriddo escrevera no relatório que Louise, a mãe da família, fora baleada na cabeça enquanto dormia de bruços. Todos os outros familiares, incluindo o marido que estava deitado ao lado dela, foram baleados por trás enquanto dormiam na mesma posição. Essa informação tinha sido incluída na peça entregue à promotoria do condado, mas nunca revelada para a imprensa. Na verdade, esse detalhe nunca fora divulgado, nem mesmo durante o julgamento de Ronnie DeFeo.

Agora, Kathy Lutz também sabia como Louise DeFeo morrera naquela noite. Ela estava exatamente no mesmo quarto.

George abraçou a esposa, que tremia da cabeça aos pés, até ela se acalmar e voltar a dormir. Em seguida, mais uma vez, sentiu um impulso de verificar o abrigo de barcos e se esgueirou para fora do quarto, em silêncio.

Tinha quase chegado ao canil de Harry quando o cachorro acordou e se levantou de um pulo.

"Psiu, Harry. Está tudo bem. Fique calmo, garoto."

O cão voltou a se acomodar e observou George testar a porta do abrigo. Estava fechada e trancada. Voltou a abaixar a mão e tranquilizou Harry.

"Está tudo bem, garoto. Volte a dormir." George se virou para refazer o caminho de volta à casa, contornando a cerca da piscina.

A lua cheia era como uma enorme lanterna, iluminando o caminho. Ele olhou para a parte de cima da casa e parou de repente. Seu coração dava pulos. Na janela do quarto de Missy no segundo andar, George conseguia ver a menininha o observando, os olhos seguindo seus movimentos. "Oh, Deus!", ele soltou um sussurro alto. Bem atrás da filha, assustadoramente visível para George, havia a cabeça de um porco! Tinha certeza de que podia ver os olhinhos vermelhos o encarando!

"Missy!", gritou ele. O som da própria voz libertou seu coração e seu corpo das garras do terror. George correu para casa, subiu desabalado a escada até o quarto de Missy e acendeu a luz.

Ela estava na cama, deitada de bruços. Ele foi até lá e se inclinou sobre ela. "Missy?" Não houve resposta. Ela estava dormindo como pedra.

Houve um rangido às suas costas. Ele se virou. Ao lado da janela que dava para o abrigo de barcos, a pequena cadeira de balanço de Missy balançava devagar para frente e para trás!

Seis horas depois, às 9h30, George e Kathy estavam sentados na cozinha, tomando café, confusos e abalados pelos acontecimentos na casa nova. Tinham repassado alguns incidentes testemunhados e agora tentavam separar o que era real e o que poderiam ter imaginado. Situação estressante demais para eles.

Era 25 de dezembro de 1975. A promessa de um Natal repleto de neve ainda não havia se concretizado em Amityville, mas estava frio o bastante para que pudesse nevar a qualquer momento. Dentro da casa, os três filhos estavam na sala de estar, brincando perto da árvore com os poucos brinquedos que George e Kathy tinham conseguido comprar antes da mudança, oito dias antes.

George calculava que, na primeira semana, havia queimado mais de 380 litros de óleo e uma pilha inteira de madeira. Alguém teria que sair para comprar mais lenha e mantimentos, como pão e leite.

Ele contara a Kathy a respeito da conversa com o padre Mancuso e a tentativa de refazer a ligação depois do alerta sobre a sala de costura. Agora a própria Kathy tentou ligar, mas ninguém atendeu o telefone. Ela argumentou que o padre poderia estar fora porque era feriado. Ele poderia estar visitando a família. Em seguida ela se ofereceu para ir comprar lenha e comida.

Não havia dúvida quanto ao paradeiro do padre Mancuso naquele dia de Natal. Ele estava no presbitério em Long Island, doente. Apesar da previsão de 24 horas feita pelo médico, a febre não tinha cedido e a temperatura do corpo não baixava dos 39°C.

O padre perambulava pelos aposentos como um leão enjaulado. Como adorava dedicar horas a fio à sua vocação, o padre Mancuso se recusava a ficar na cama. Ele tinha uma pasta cheia de arquivos: apontamentos para sua função de conselheiro familiar e anotações sobre alguns membros da paróquia. Apesar do pedido do pastor para que repousasse, o sacerdote se manteria ocupado no dia de Natal. Ainda assim, o padre Mancuso não conseguia afastar a preocupação que sentia a respeito dos Lutz e da casa deles.

George ouviu quando Kathy voltou das compras. Pôde perceber que ela estava entrando de ré com a van graças ao som de trituração que os pneus para neve faziam na entrada de carros. Por alguma estranha razão, o barulho o incomodou e ele ficou irritado com a esposa.

Ele saiu para encontrá-la, tirou dois pacotes de lenha da van, alimentou o fogo na lareira e então se sentou na sala de estar, se recusando a descarregar o resto das compras. Kathy ficou exasperada: a atitude e a aparência de George estavam lhe dando nos nervos. De alguma maneira, pressentia que estavam prestes a ter uma discussão, mas conseguiu segurar a língua por enquanto. Tirou as sacolas de compras da van e deixou o restante da madeira empilhado lá dentro. Se George sentisse bastante frio, Kathy sabia que ele pegaria a lenha por conta própria.

Ela e George tinham orientado que Danny, Chris e Missy ficassem bem longe da sala de costura no segundo andar, sem dar nenhuma explicação. A ordem deixou os três ainda mais curiosos sobre o que poderia estar escondido atrás da porta agora trancada.

"Talvez sejam mais presentes de Natal", sugeriu Chris.

Danny concordou, mas Missy disse: "Eu sei por que a gente tem que ficar longe de lá. O Jodie está lá dentro".

"Jodie? Quem é Jodie?", perguntou Danny.

"Ele é meu amigo. Ele é um porco."

"Oh, você parece um bebê, Missy. Está sempre inventando essas coisas idiotas", zombou Chris.

Às 18h, Kathy preparava o jantar da família quando ouviu ruídos de algo pequeno e delicado batendo contra o vidro da janela da cozinha. Embora estivesse escuro do lado de fora, ela pôde ver atrás do reflexo da luz que estava nevando. Flocos brancos caíam em um turbilhão e Kathy ficou observando a neve sendo lançada contra a vidraça, por um vento cada vez mais forte.

"Neve, até que enfim", disse ela.

Natal e neve: essa combinação soprou na atormentada mulher um sentimento reconfortante de familiaridade. Ela se lembrou da própria infância. Quando era criança, parecia que sempre caía neve na época do Natal. Kathy continuou olhando os pequenos flocos de neve. Lá fora, as multicoloridas luzes das árvores de Natal da vizinhança cintilavam contra a noite. Atrás dela, o rádio tocava cantigas natalinas. Ela se sentiu em paz em seu cantinho da cozinha.

Depois do jantar, George e Kathy ficaram sentados em silêncio na sala de estar. A árvore de Natal estava toda iluminada e o enfeite de George no topo acrescentava ainda mais beleza à decoração. Com relutância, ele tinha ido até a van para buscar mais lenha. Agora havia seis achas diante da lareira ardente, apenas o bastante para durar a noite toda, no ritmo em que George estava alimentando fogo.

Kathy fez alguns consertos nas roupas das crianças — remendou as calças dos garotos na altura dos joelhos, abaixou a bainha de algumas calças jeans de Missy. A garotinha estava crescendo e as barras já estavam acima dos tênis.

Às 21h, Kathy se preparou para subir ao quarto de brinquedos no terceiro andar: era hora de Missy ir para a cama. Estava subindo a escada quando ouviu a voz da filha, já em seu quarto. Missy falava em voz alta, obviamente conversando com alguém. A princípio, Kathy imaginou que fosse um dos meninos, mas então ouviu Missy dizer: "A neve não é linda, Jodie?". Quando Kathy entrou, a filha estava sentada na cadeirinha de balanço ao lado da janela, fitando a neve que caía lá fora. Kathy olhou ao redor. Não havia ninguém no quarto.

"Com quem você está conversando, Missy? Um anjo?"

Missy se virou para a mãe. Então os olhos dela se voltaram para um canto do quarto.

"Não, mamãe, é só o Jodie."

Kathy virou a cabeça para acompanhar o olhar de Missy. Não havia nada ali, a não ser alguns brinquedos de Missy espalhados pelo chão.

"Jodie? É uma de suas bonecas novas?"

"Não. Jodie é um porco. Ele é meu amigo. Ninguém pode ver ele, só eu."

Kathy sabia que, como outras crianças de sua idade, Missy costumava criar pessoas e animais imaginários, portanto presumiu que aquilo fosse fruto da imaginação da filha. George ainda não comentara sobre o incidente no quarto de Missy na noite anterior.

Havia outra surpresa esperando por Kathy quando ela chegou ao andar de cima, poucos minutos depois. Danny e Chris já estavam no quarto, se trocando e colocando o pijama. Os dois costumavam fazer birra para continuar brincando até depois das 22h. Naquela noite, às 21h30, sem nenhuma ordem da mãe, já estavam prontos para dormir. Kathy se perguntou por quê.

"O que houve com vocês? Por que não estão fazendo cara feia para dormir?"

Os filhos deram de ombros e continuaram vestindo o pijama.

"Está mais quentinho aqui, mamãe", respondeu Danny. "Não queremos brincar mais lá dentro."

Quando foi dar uma olhada *lá dentro*, Kathy foi atingida pelo frio intenso no quarto de brinquedos. Não havia nenhuma janela aberta, mas mesmo assim o cômodo estava um gelo. Apesar disso, a temperatura estava aconchegante no quarto de Danny e Chris, e também no corredor. Ela pousou a mão sobre o radiador. Estava quente!

Kathy contou a George sobre o frio no quarto de brinquedos no último andar. Sem querer sair de perto do conforto da lareira, ele disse que daria uma olhada de manhã. À meia-noite, Kathy e George foram enfim para a cama.

A neve tinha parado de cair em Amityville. A 24 quilômetros dali, do lado de fora do presbitério em Long Island, também já não nevava. O padre Mancuso se afastou da janela. A cabeça doía. O estômago se contorcia com as dores abdominais. O padre transpirava e sentia um calor tão sufocante que decidiu tirar o roupão. Assim que se livrou da peça, começou a tremer e a experimentar calafrios incontroláveis.

O padre Mancuso mal podia esperar para voltar para a cama. Estava frio embaixo do cobertor e ele percebeu que podia ver a fumacinha branca de sua respiração. "Que diabos está acontecendo?", murmurou para si mesmo. O padre esticou o braço e tocou o radiador ao lado da cama. Não havia nem um pouco de calor.

O enfermo sentiu que o corpo voltava a transpirar. O padre Mancuso se enrolou ainda mais embaixo do cobertor, encolhendo-se em posição fetal. Fechou os olhos e começou a rezar.

AMITYVILLE
JAY ANSON

26 DE DEZEMBRO

8

Certa noite — George não se lembra ao certo qual — ele voltou a acordar às 3h15, se vestiu e saiu. Perambulando pela escuridão glacial, perguntou-se o que estava procurando no abrigo de barcos. Harry, o robusto cão de guarda, não acordou nem quando George tropeçou em fios soltos perto do canil.

Quando os Lutz moravam em Deer Park, Harry também tinha sua própria casa de cachorro, mas dormia do lado de fora, independentemente da estação do ano. O cachorro costumava ficar de guarda até as 2h ou 3h, antes de enfim se acomodar para dormir. Qualquer barulho desconhecido deixava Harry em estado de alerta. No entanto, desde que se mudaram para o número 112 da Ocean Avenue, sempre que George ia até o abrigo de barcos encontrava o cão dormindo. Ele acordava apenas quando seu dono chamava.

Já do dia depois do Natal George se lembra bem, porque era o dia do casamento de Jimmy. Também foi o início de um sério problema de diarreia, que começou depois que ele verificou o abrigo de barcos. A dor foi intensa, quase como se uma faca tivesse perfurado seu estômago. George ficou alarmado quando sentiu que estava prestes a vomitar. Assim que voltou para dentro da casa, saiu em disparada para o banheiro do primeiro andar.

O dia já tinha nascido quando ele voltou a se acomodar na cama. As dores estomacais estavam fortes, mas ele acabou adormecendo, vencido pelo cansaço. Kathy despertou alguns minutos depois e acordou o marido para lembrá-lo de que o casamento era naquela noite. Haveria muitos preparativos antes que o irmão fosse buscar a família. Ela estaria ocupada com o vestido e o cabelo. George resmungou meio adormecido.

Antes de descer e preparar o café da manhã das crianças, Kathy subiu ao terceiro andar para dar uma olhada no quarto de brinquedos. Continuava frio lá dentro, mas não como no dia anterior. George poderia não gostar de ficar longe de sua lareira, mas teria que deixar o conforto para verificar o radiador que, embora não estivesse estragado, não aquecia aquele cômodo. Sem dúvida as crianças não aguentariam ficar ali por muito tempo, e Kathy queria os filhos fora do caminho até a hora de se arrumarem para o casamento. Ela olhou pela janela e viu o terreno coberto de lama, causada pelo derretimento da neve. Aquilo resolvia as coisas: os três ficariam dentro de casa naquele dia e teriam que brincar nos próprios quartos.

Depois do café da manhã, Missy começou a subir para seu quarto, obediente. Kathy avisou que não queria a filha na sala de costura, alertando que ela não deveria nem sequer abrir a porta.

"Tudo bem, mamãe. Jodie quer brincar no meu quarto hoje."

"Boa menina", disse Kathy, com um sorriso. "Vá brincar com seu amigo."

Os meninos queriam brincar fora de casa, argumentando que eram *suas* férias de Natal. Kathy ficou irritada com tanta teimosia e insistência: Danny e Chris jamais tinham questionado suas ordens antes, e ela começou a perceber que os dois filhos também estavam se comportando diferente desde a mudança para a casa nova.

No entanto, Kathy ainda não tinha percebido as mudanças em sua própria personalidade, a sua impaciência e o seu mau humor.

"Já chega, vocês dois!", gritou para os filhos. "Estou vendo que querem mais uma surra! Agora tratem de fechar o bico e subir, como eu mandei. Quero os dois no quarto, até eu chamar! Estão me ouvindo? Andem! Para cima!"

De cara fechada, Danny e Chris subiram a escada até o terceiro andar, topando com George, que descia e passou sem sequer olhar as crianças. Eles não chegaram a trocar nem um bom-dia.

No canto da cozinha, George tomou um gole de café, apertou a barriga e voltou a subir a escada até o banheiro.

"Não se esqueça de fazer a barba e tomar um banho!", gritou Kathy, atrás dele. Levando em consideração a velocidade com que o marido subiu os degraus, ela não teve certeza de que foi ouvida.

Kathy voltou ao canto da cozinha. Estivera fazendo uma lista de compras, verificando itens que precisavam ser repostos na geladeira e nos armários. A comida estava acabando outra vez, e ela sabia que tinha que tomar coragem e sair de casa. Não podia depender de George para isso. O grande freezer no porão, um dos itens incluídos na compra da propriedade dos DeFeo, estava limpo e poderia armazenar carnes e pratos prontos. Os produtos de limpeza estavam quase no fim, uma vez que ela estivera esfregando os vasos sanitários dia após dia. A maior parte da substância escura já tinha saído.

Kathy planejava ir a um supermercado de Amityville na manhã seguinte, sábado. Ela anotou "suco de laranja" no bloquinho. De repente, sentiu uma presença na cozinha. Como não estava bem pela situação de estresse em família, Kathy foi invadida pela lembrança do primeiro toque em sua mão e ficou petrificada. Devagar, olhou para trás.

Pôde constatar que não havia ninguém na cozinha — mas ao mesmo tempo sentiu que a presença estava mais próxima, quase bem atrás da cadeira! Suas narinas captaram uma fragrância doce, que Kathy reconheceu como o perfume que tinha permeado seu quarto quatro dias antes.

Assustada, Kathy chegou a sentir um corpo a pressionando, passando os braços em volta de sua cintura. Apesar disso, a pressão era suave e Kathy percebeu que, como antes, era o toque de uma mulher — quase reconfortante. A presença invisível não transmitia uma sensação de perigo — não a princípio.

Até que o aroma adocicado ficou mais intenso e pareceu rodopiar no ar, deixando Kathy desorientada. Ela começou a engasgar, depois tentou se desvencilhar de um aperto que ficava mais forte conforme se debatia. Kathy teve a impressão de ouvir um sussurro, e hoje se lembra de que algo em seu âmago disparou o alerta para que não desse ouvidos àquele murmúrio.

"Não!", gritou. "Me deixe em paz!" Ela golpeou o vazio. O abraço ficou mais apertado, hesitante. Kathy sentiu a mão sobre seu ombro, fazendo os mesmos movimentos maternos e reconfortantes que ela sentira em sua primeira vez na cozinha.

E de repente sumiu! Tudo o que permaneceu foi o aroma de perfume barato.

Kathy afundou na cadeira e fechou os olhos. Começou a chorar. Dedos tocaram seu ombro. Kathy deu um pulo. "Oh, Deus, não! De novo não!" Ela abriu os olhos.

Missy estava parada ali, fazendo carinho em seu braço, com delicadeza. "Não chore, mamãe." Então Missy virou a cabeça para olhar a soleira da porta da cozinha.

Kathy também olhou. Mas não havia nada ali.

"Jodie diz que você não deveria chorar", falou Missy. "Ele diz que em breve tudo vai ficar bem."

Às 9h, assim que acordou no presbitério em Long Island, o padre Mancuso conferiu sua temperatura. O termômetro continuava marcando 39°C. Porém, às 11h o padre sentiu uma melhora súbita. As dores estomacais tinham desaparecido e a cabeça não doía pela primeira vez em dias. Com pressa, voltou a colocar o termômetro sob a língua: 37°C. A febre havia passado!

De repente o padre Mancuso sentiu fome. Estava com muito apetite, mas sabia que deveria voltar aos poucos à sua alimentação normal. O sacerdote preparou chá e torrada na cozinha pequena, assinalando mentalmente todos os itens acumulados de sua concorrida agenda. Ele se esqueceu completamente de George Lutz.

Por volta do mesmo horário, 11h da manhã, George Lutz estava sem tempo para pensar no padre Mancuso, em Kathy ou no casamento de Jimmy, seu cunhado. Tinha acabado de ir ao banheiro pela décima vez, a diarreia implacável.

O casamento e a recepção de Jimmy, um evento caro com um buffet para cinquenta casais, aconteceria no Astoria Manor, no Queens. George teria muito o que fazer na festa, mas naquele momento tinha coisas mais importantes para tratar.

Ele se arrastou escada abaixo até seu canto, ao lado da lareira. Kathy entrou na sala de estar para dizer que o escritório em Syosset tinha telefonado. Os homens queriam saber quando George planejava voltar ao trabalho. Havia serviços de agrimensura que precisavam de sua supervisão e cada vez mais empreiteiros começavam a reclamar.

Kathy também queria contar sobre o segundo incidente misterioso na cozinha, mas George dispensou a esposa com um aceno de mão. Ela sabia que não adiantava tentar puxar conversa com ele. Então, do andar de cima, ela ouviu o barulho de Danny e Chris brigando no quarto outra vez, aos berros.

Estava prestes a gritar com eles do pé da escada quando George passou por ela como um relâmpago, subindo os degraus de dois em dois.

Kathy não teve coragem de ir atrás do marido. Ficou parada ao pé da escada e ouviu os gritos de George. Em poucos minutos, tudo ficou em silêncio. Então a porta do quarto de Danny e Chris bateu com força e ela ouviu os passos de George voltando a descer. Ele parou quando viu Kathy à espera. Eles trocaram um olhar, mas ninguém falou nada. George se virou e voltou ao segundo andar, batendo a porta do quarto do casal.

George desceu meia hora depois. Pela primeira vez em nove dias, estava barbeado, de banho tomado e com roupas limpas. Ele entrou na cozinha. Kathy estava sentada, dando o almoço para Missy.

"Certifique-se de que ela e os garotos estejam prontos às 17h", disse George, antes de se virar e sair.

Às 17h30, Jimmy foi buscar a irmã, o padrinho e as crianças. Eles tinham que chegar ao Astoria Manor às 19h. De Amityville ao Queens, a Sunrise Highway era o caminho mais rápido e o trajeto até o Astoria costumava demorar uma hora no máximo. No entanto, foi anunciado que as ruas estavam cobertas de gelo em razão da neve fraquinha que tinha acabado de cair. Além disso, era o fim de tarde de uma sexta-feira: haveria muita circulação de veículos e o trânsito estaria lento. Por isso, Jimmy se prevenira ao chegar cedo.

O jovem noivo estava resplandecente em seu uniforme militar, o rosto brilhando de felicidade. Kathy beijou o irmão toda animada e o convidou para dar uma chegadinha até a cozinha, enquanto esperavam George acabar de se trocar.

Jimmy tirou o impermeável e, então, do bolso da jaqueta, puxou com orgulho um envelope com 1.500 dólares em dinheiro. Ele pagara a maior parte da recepção do Manor alguns meses antes, e aquele era o valor que estava faltando. Disse que tinha acabado de sacar o dinheiro da poupança, e agora estava praticamente sem nada. Jimmy voltou a guardar o dinheiro no envelope, que recolocou no bolso do impermeável, pendurado em uma cadeira ao seu lado.

George desceu, vestindo um elegante smoking. Estava pálido devido à diarreia, mas tinha acabado de se pentear, e a barba em tom de loiro-escuro emoldurava o rosto bonito. Os dois homens foram para a sala de estar. George deixara o resto do fogo se extinguir sozinho e agora remexia as cinzas, à procura de alguma brasa acesa.

As crianças também estavam prontas. Kathy subiu para buscar o casaco. Quando desceu, Jimmy foi até a cozinha com a intenção de pegar o impermeável. Voltou alguns instantes depois com o impermeável jogado sobre os ombros. "Pronto?", perguntou George.

"Nunca estive tão pronto na vida", respondeu Jimmy, apalpando o bolso do impermeável para conferir se o envelope com o dinheiro ainda estava lá. A expressão em seu rosto congelou. Ele enfiou a mão no bolso, que saiu vazia! Em seguida procurou no outro bolso: nada. Ele tirou e sacudiu o impermeável, depois revirou todos os bolsos do uniforme. O dinheiro tinha sumido!

Jimmy voltou correndo para a cozinha, com Kathy e George logo atrás. Os três reviraram tudo, depois passaram um pente-fino no vestíbulo e na sala de estar. Era impossível, mas os 1.500 dólares de Jimmy tinham evaporado!

Jimmy ficou desnorteado.

"George, o que vou fazer?"

Seu cunhado passou um braço pelos ombros do desesperado Jimmy.

"Fique calmo. O dinheiro tem que estar aqui em algum lugar." George levou Jimmy até a porta. "Ande, vamos nos atrasar. Vou procurar de novo assim que voltar. Está aqui, não precisa se preocupar."

Kathy foi dominada por uma sensação de desespero e desmoronou, chorando. Enquanto George olhava para a esposa, a letargia demonstrada ao longo da última semana se esvaiu. Ele percebeu como tinha sido duro com Kathy, pela primeira vez não pensando apenas no próprio umbigo. Então, apesar da catástrofe com o dinheiro de Jimmy, apesar da fraqueza que ainda sentia pela diarreia, George teve vontade de fazer amor com Kathy. Ele e a esposa não namoravam desde que tinham se mudado para o número 112 da Ocean Avenue.

"Vamos, querida. Vamos andando." Ele deu um tapinha no traseiro da esposa. "Vou resolver isso tudo."

George e Kathy entraram no carro de Jimmy, e os meninos e Missy foram para o banco de trás. Depois de fechar a porta, George voltou a sair.

"Só um minuto. Quero ver como o Harry está."

Ele se dirigiu até os fundos da casa. Depois de uma curta caminhada pela escuridão invernal, George chamou: "Harry! Fique de olhos abertos, está ouvindo?!".

Não houve nenhum latido em resposta. George se aproximou da cerca de arame do canil.

"Harry? Você está aí?"

Pelo reflexo da luz da casa de um vizinho, ele percebeu que Harry estava dentro da casinha. George destrancou o portão e entrou no canil.

"Qual é o problema, Harry? Você está doente, garoto?"

George se agachou e ouviu um lento ronco canino. Eram apenas 18h e Harry estava dormindo a sono solto!

AMITYVILLE
JAY ANSON

27 DE DEZEMBRO

9

Os Lutz voltaram do casamento às 3h. Aquela tinha sido uma noite muito longa, que começou com o misterioso desaparecimento dos 1.500 dólares de Jimmy. Todos os outros incidentes que aconteceram ao longo da festa não contribuíram em nada para deixar George satisfeito com o evento.

Antes da cerimônia, George, os demais padrinhos e o noivo fizeram a comunhão em uma igrejinha perto do Manor. Durante a missa, George sentiu fortes náuseas. Quando o padre Santini, o pároco da igreja católica Nossa Senhora dos Mártires, entregou a George o cálice de vinho para que ele bebesse, George começou a cambalear desorientado. Jimmy estendeu uma das mãos para o cunhado, mas George a afastou e correu para o banheiro masculino, nos fundos da igreja.

Depois de ter vomitado e voltado para o hotel, George contou a Kathy que, na verdade, se sentira enjoado assim que colocou os pés na igreja Nossa Senhora dos Mártires.

A recepção correu muito bem. Havia comida e bebida de sobra, além de música e dança, ingredientes que costumam ser associados a casamentos irlandeses. Todos pareciam estar se divertindo, e George precisou ir ao banheiro apenas uma vez. Chegou a pensar que a diarreia pudesse estar voltando, mas no geral não se sentiu tão desconfortável. O irmão de Kathy e sua nova esposa, Carey, partiriam para a lua de mel nas Bermudas diretamente do Manor e pegariam um táxi para o aeroporto LaGuardia. Como George levaria Kathy e as crianças de volta a Amityville no carro de Jimmy, não bebeu muito.

Até que chegou o momento desagradável de acertar as contas com o gerente do buffet. Jimmy, o sogro e George contaram sobre o imprevisto, mas prometeram pagar o homem com o dinheiro arrecadado com os presentes de casamento. Por azar, na hora da tradicional fila de cumprimentos, a maioria dos envelopes deixados aos noivos continha cheques. O dinheiro em espécie chegava a pouco mais de 500 dólares.

Embora o gerente tenha ficado irritado, depois de alguns minutos de negociação concordou em receber dois cheques de George no valor de 500 dólares cada: um de sua conta-corrente e outro da conta da sua empresa de agrimensura em Syosset.

George sabia que não tinha fundos em sua conta-corrente, mas como os dois dias seguintes eram sábado e domingo, tinha tempo de providenciar o valor na segunda-feira.

O sogro de Jimmy conferenciou com seus parentes e arrecadou dinheiro suficiente para que seu genro conseguisse arcar com a lua de mel. Por sorte, as passagens aéreas já estavam pagas. Depois que a festa de casamento acabou, por volta das 2h, os Lutz voltaram para o número 112 da Ocean Avenue.

Kathy foi para a cama assim que chegaram. Já George foi conferir o abrigo de barcos e o canil. Harry ainda estava dormindo e mal se mexeu quando o dono chamou. George se agachou para fazer carinho no cachorro e ficou se perguntando se Harry estaria dopado. Em seguida descartou o pensamento: não, era provável que estivesse apenas doente. "Deve ter comido alguma coisa que encontrou no quintal." George se levantou. Teria que levar Harry ao veterinário.

Como a porta do abrigo de barcos estava fechada, George voltou para casa, trancando a porta da frente. Depois foi para a cozinha, sem tirar os olhos do chão, esperando encontrar o envelope com o dinheiro. Sem sucesso.

A porta da cozinha e as janelas do primeiro andar estavam todas trancadas. George subiu a escada até o quarto, pensando na esposa e na cama macia e quente. Ao passar pela sala de costura, notou que a porta estava entreaberta e pensou nas crianças: uma das três devia ter entrado no cômodo antes que a família saísse de casa. Perguntaria quando acordassem, na manhã seguinte.

Kathy estava com sono, mas tinha esperado. Ao longo da noite, sentira as vibrações do marido e ansiava por ele. Os dois não namoravam desde a mudança. Costumavam fazer amor todas as noites desde que se casaram em julho, mas do dia 18 ao dia 27 de dezembro, George não fizera nenhuma tentativa de aproximação. Só que agora as crianças estavam dormindo, exaustas com a festa. Ela observou George se despir e todas as apreensões dos últimos dias desvaneceram de sua mente.

Ele deslizou para baixo do cobertor pesado.

"Ah, que maravilha!" George estendeu a mão para o calor que emanava de Kathy. "Enfim sós, como dizem."

Naquela noite, Kathy sonhou com Louise DeFeo e um homem fazendo amor no mesmíssimo quarto. Quando acordou de manhã, aquela visão permaneceu com ela. De alguma maneira, Kathy sabia que o homem não era o marido de Louise. Apenas muitas semanas depois de ter fugido com a família do número 112 da Ocean Avenue, ela descobriu por um advogado amigo dos DeFeo que Louise teve mesmo um amante, um artista que morou com a família por um tempo. O sr. DeFeo deve ter ficado sabendo do caso e contado ao advogado.

De manhã, Kathy pegou a van e foi fazer compras em Amityville, ao passo que George, no carro de Jimmy, foi buscar a correspondência no escritório em Syosset, com as crianças. Chegou a levar Harry, dizendo aos funcionários que com certeza estaria de volta na segunda-feira.

Ao chegarem em casa, encontraram Kathy abastecendo a geladeira da cozinha. Ela também tinha feito compras para encher o freezer do porão. Kathy reclamou que os preços eram mais altos nos mercados de Amityville.

"Achei que seriam", George deu de ombros. "Amityville é mais abastada do que Deer Park."

Já passava das 13h. Embora quisesse preparar o almoço, Kathy ainda tinha que carregar o freezer do porão com carnes congeladas e pratos prontos. George se ofereceu para fazer sanduíches para todos.

Enquanto ela estava no porão, a campainha tocou. Era a tia de Kathy, Theresa. George conhecera a mulher na casa da sogra, antes do casamento com Kathy. Theresa, que chegara a ser freira no passado, tinha três filhos. George nunca havia descoberto as razões que a levaram a deixar a ordem.

A antiga freira estava parada na soleira da porta. Era uma mulher baixa e magra, na casa dos trinta, e vestia com simplicidade um puído casaco de inverno de lã preto e galochas. Seu rosto estava cansado, mas corado pelo frio. Lá fora o tempo estava claro e limpo, a temperatura pairando acima dos 10°C negativos. Theresa disse a George que pegara o ônibus para Amityville e viera a pé desde a estação.

George chamou Kathy, dizendo que tinham visita. A esposa disse que subiria em breve e pediu que George mostrasse a casa nova para a tia.

As crianças saudaram a tia-avó em silêncio, pois seu rosto austero era uma barreira para o natural comportamento amistoso dos três. Danny perguntou se podia ir lá fora com Chris. "Tudo bem", concordou George. "Vocês têm que prometer que não vão muito longe. Fiquem perto de casa." Missy desceu correndo a escada. George percebeu como Theresa ficou triste quando as crianças não demonstraram interesse por sua visita.

Enquanto mostrava o primeiro andar a Theresa, indicando a sala de jantar formal e a enorme sala de estar, George se deu conta de que estava frio dentro da casa — havia uma certa umidade no ambiente que ele não sentira antes de a tia Theresa chegar. Ela concordou que estava um pouco frio quando entrou na casa. George olhou o termostato. Ele marcava 23°C, mas George sabia que teria que acender a lareira outra vez.

Eles subiram para o segundo andar. Theresa lançou um olhar de desaprovação para os painéis de espelhos fumês atrás da cabeceira da cama do casal. George conseguiu ler os pensamentos dela — Theresa acreditava que aquilo era uma demonstração de exibicionismo descarado, que cheirava a vulgaridade — e sentiu vontade de explicar que os painéis de espelho eram dos DeFeo, mas decidiu deixar para lá. A mulher continuava freira no fundo do coração!

Theresa seguiu George até os outros cômodos, admirando todo o espaço novo que a família tinha. No entanto, quando pararam do lado de fora da sala de costura, tia Theresa hesitou. George abriu a porta para a mulher. Ela recuou alguns passos, o rosto empalidecendo.

"Não vou entrar aí", disse ela, dando as costas para ele.

Será que Theresa tinha visto alguma coisa pela porta aberta? George olhou para dentro do quarto. Não havia nenhuma mosca, graças a Deus! Caso contrário, a reputação de Kathy em limpeza sofreria um golpe irreparável! Ainda assim, George pôde sentir que o cômodo estava gelado. Ele olhou para Theresa, que continuava parada em uma atitude implacável, de costas para o quarto. Ele fechou a porta e sugeriu que fossem para o andar superior.

Quando chegou a vez de mostrar o quarto de brinquedos, a antiga freira recuou outra vez.

"Não, esse é outro lugar ruim. Não gosto dele", explicou ela.

No instante em que George e a tia desciam para o primeiro andar, Kathy subia a escada do porão, com Missy. As duas mulheres trocaram um abraço e Kathy, guiando a tia para a cozinha, disse: "George, vou terminar de organizar lá embaixo depois. Quero passar alguns enlatados para um armário que encontrei lá e pode ser usado como despensa". George foi até a sala de estar para reacender a lareira.

Theresa estava na casa há pouco mais de meia hora quando decidiu que já era o momento de ir embora. Como esperava que a tia fosse ficar para jantar, Kathy ficou desapontada.

"George pode dar uma carona para você", ofereceu Kathy.

Porém, a mulher recusou. "Tem alguma coisa ruim aqui, Kathy", sussurrou ela, olhando ao redor. "Preciso ir agora."

"Mas, tia, está tão frio lá fora."

A mulher balançou a cabeça e se levantou. Depois de fechar o pesado casaco em volta do corpo, estava seguindo para a porta da frente quando Danny e Chris entraram, ao lado de outro menino.

Os três garotos observaram Theresa acenar com a cabeça para George e dar um beijo na bochecha de Kathy. Assim que ela saiu, Kathy e George trocaram um olhar, sem saber o que dizer a respeito do estranho comportamento da mulher. Por fim, caiu a ficha, e Kathy observou os filhos e o amigo.

"Este é o Bobby, mamãe", disse Chris. "Acabamos de nos conhecer. Ele mora aqui na mesma rua."

"Oi, Bobby", Kathy sorriu. O menininho de cabelo escuro parecia ter a idade de Danny. Hesitante, Bobby estendeu a mão direita, que Kathy apertou. Depois ela apresentou o marido: "Este é o George".

George sorriu para o garoto, apertando sua mãozinha.

"Por que vocês três não vão brincar lá em cima?"

Bobby parou, os olhos dardejando ao redor do vestíbulo.

"Não. Tudo bem", disse. "Prefiro brincar aqui embaixo."

"*Aqui?*", perguntou Kathy. "No vestíbulo?"

"Sim, senhora."

Kathy olhou para George. Seus olhos traíam a pergunta não proferida: "O que há de errado nesta casa que deixa todo mundo tão desconfortável?".

Durante a meia hora seguinte, os três garotos se divertiram no chão do vestíbulo, com os brinquedos que Danny e Chris ganharam de Natal. Bobby nem mesmo tirou a jaqueta de inverno. Kathy desceu ao porão para terminar de transformar o armário em uma despensa, e George voltou à lareira na sala de estar. Então Bobby se levantou e, de repente, disse a Danny e a Chris que queria ir para casa. Essa foi a primeira e a última vez que o garoto que morava naquela mesma rua pisou no número 112 da Ocean Avenue.

O porão da casa dos Lutz media 13 m por 8 m. Quando George o examinou pela primeira vez, viu à direita portas de ripas que se abriam para o aquecedor a óleo, para o aquecedor de água quente e para o freezer, além das lavadoras e das secadoras, que tinham pertencido aos DeFeo.

À esquerda, atrás de outro conjunto de portas, havia uma sala de jogos, que media 3,5 m por 8,5 m, com um lindo acabamento de painéis de nogueira, com luzes fluorescentes embutidas na sanca. Bem à frente ficava a área que ele planejava usar como escritório.

Havia um pequeno armário no vão da escada e, entre a escada e a parede à direita, painéis de compensado formavam um armário extra, que se estendia por 2,10 m, com prateleiras do teto até o chão. Essa área aproveitava bem o espaço, pensou George, e sua proximidade com a escada da cozinha fazia com que fosse uma despensa muito conveniente.

Kathy organizava as compras nesses armários. Quando empilhou e encostou alguns enlatados grandes e pesados na parede do armário, uma das prateleiras estalou. Um lado do painel de compensado da parede dos fundos pareceu ceder um pouco. Ela afastou as latas para o lado e empurrou o painel, que se afastou ainda mais das prateleiras. O armário era iluminado por uma única lâmpada pendurada no teto. O reflexo da lâmpada brilhava através de uma fenda pequena o suficiente para dar a Kathy a impressão de haver um espaço vazio atrás do armário, embaixo da parte mais alta da escada. Ela saiu do porão e gritou, chamando George.

Ele olhou a abertura e empurrou o painel. A parede cedeu mais um pouco.

"Não deveria haver nada aí atrás", comentou com Kathy.

George retirou quatro prateleiras de madeira, depois empurrou com força o painel de compensado, que entortou completamente até abrir. Era uma porta secreta!

O cômodo era pequeno, medindo cerca de 1,2 m por 1,5 m. Kathy arquejou. Era pintado de vermelho do teto até o chão.

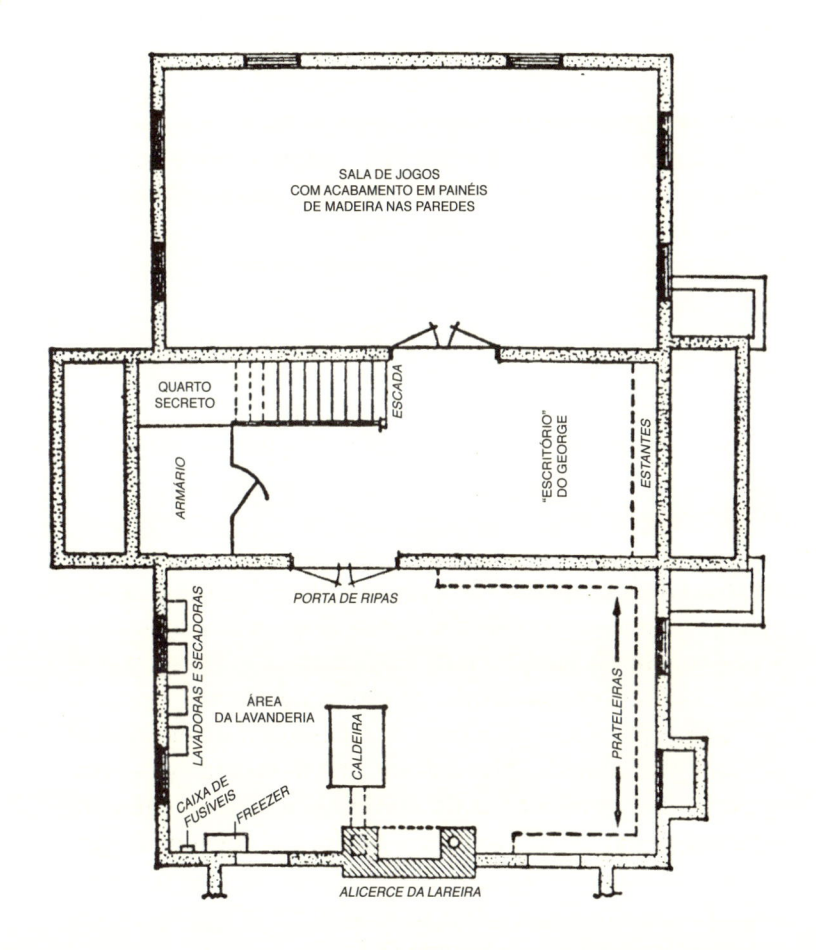

PORÃO

"O que é *isso*, George?"

"Não sei", respondeu ele, tateando as três paredes sólidas, feitas de blocos de concreto. "Parece um cômodo extra, talvez um abrigo antibomba. Todo mundo tinha um no final dos anos 1950. Só que não aparece na planta da corretora."

"Você acha que foi construído pelos DeFeo?", perguntou Kathy, se segurando no braço de George, nervosa.

"Também não sei. Acho que sim", respondeu ele, levando Kathy para fora do cômodo secreto. "Me pergunto para que servia." Ele puxou o painel até fechar.

"Você acha que existem mais cômodos assim atrás dos armários?", quis saber ela.

"Não sei, Kathy", respondeu George. "Vou ter que verificar todas as paredes."

"Você percebeu o cheiro estranho lá dentro?"

"Sim, senti o cheiro", disse George. "É cheiro de sangue."

Ela respirou fundo.

"George, estou preocupada com esta casa. Não consigo entender nada do que está acontecendo aqui." George viu Kathy colocar os dedos dentro da boca, sinal de que estava assustada. A pequena Missy também fazia esse gesto quando estava com medo. George fez um carinho na cabeça da esposa.

"Não se preocupe, meu bem. Vou descobrir do que diabos se trata esse cômodo. Mas *até que* uma despensa extra pode ser útil!" Ele apagou a luz do armário, escondendo de vista o painel na parede dos fundos, o que não o impediu de perceber uma imagem fugaz de um rosto marcado no compensado. Em poucos dias, George se daria conta de que aquele era o semblante barbudo de Ronnie DeFeo!

AMITYVILLE
JAY ANSON

28 DE DEZEMBRO

10

No domingo, o padre Mancuso voltou ao presbitério em Long Island após celebrar a missa na igreja. A distância entre os dois locais era de apenas alguns metros, mas o padre sentiu a recente fraqueza enquanto caminhava no ar gelado.

Havia um visitante esperando por ele na recepção do presbitério — o sargento Gionfriddo, do Departamento de Polícia do Condado de Suffolk. Depois de trocarem um aperto de mão, o padre Mancuso pediu para Gionfriddo acompanhá-lo até seus aposentos, no segundo andar.

"Fico feliz pelo telefonema e agradeço por ter vindo", disse o sacerdote.

"Tudo bem, padre. Hoje é meu dia de folga." O vigoroso detetive passou os olhos pelo lar do padre. A sala de estar era repleta de livros, que transbordavam para fora das estantes e se espalhavam sobre mesas e cadeiras. Ele tirou uma pilha de cima do sofá e se sentou.

Como o padre Mancuso queria se aquecer mas não tinha bebida nos aposentos para oferecer ao policial, preparou um pouco de chá. Enquanto esquentava a água, foi direto ao ponto e explicou por que chamou Gionfriddo.

"Como você sabe, estou preocupado com os Lutz", começou. "Foi por isso que pedi para Charlie Guarino entrar em contato com alguém em Amityville para verificar se estava tudo bem com eles." O padre foi até a cozinha pequena para pegar xícaras e pires. "Charlie me lembrou que os Lutz estão morando na casa da trágica chacina da família DeFeo. Alguns amigos meus me falaram sobre o caso, mas não sei bem como..."

"Eu trabalhei no caso, padre", interrompeu o detetive.

"É, Charlie comentou quando retornou minha ligação há algumas noites." O padre Mancuso trouxe o chá e se sentou de frente para Gionfriddo. "Bem, tive muita dificuldade para dormir na noite passada. Não sei por quê, mas fiquei pensando nos DeFeo."

Ele encarou Gionfriddo, tentando decifrar a expressão estampada em seu rosto. Era difícil, embora o padre Mancuso tivesse anos de experiência em sondar o semblante das pessoas que ajudava no aconselhamento familiar, sempre à procura de fatos, reais ou imaginários. Ele não sabia se revelava o que tinha presenciado no primeiro dia no número 112 da Ocean Avenue ou ao telefone com George.

Gionfriddo leu depressa os pensamentos do padre e resolveu o problema.

"Você acha que algo estranho está acontecendo naquela casa, padre?"

"Não sei. É por isso que eu queria conversar com você."

O detetive pousou a xícara de chá sobre a mesa.

"O que você está procurando? Uma casa assombrada? Você quer me dizer que existe alguma coisa assustadora naquele lugar?"

O padre balançou a cabeça.

"Não, mas seria de grande ajuda se você pudesse me contar o que aconteceu na noite da chacina. Se não me engano, o rapaz disse que ouviu vozes."

Gionfriddo fitou aqueles olhos penetrantes e viu que o padre estava preocupado. Ele pigarreou e adotou seu tom de voz oficial.

"Bem, basicamente, a história é que Ronald DeFeo dopou a família no jantar do dia 13 de novembro de 1974 e então atirou neles com um rifle de alto calibre, enquanto estavam apagados. No julgamento, alegou sim que uma voz mandou ele fazer aquilo."

O padre Mancuso esperou mais detalhes, mas Gionfriddo tinha terminado seu relatório.

"Só isso?", perguntou o sacerdote.

Gionfriddo aquiesceu.

"Como eu disse, é só isso, basicamente."

"Ele deve ter acordado a vizinhança inteira", sugeriu o padre Mancuso.

"Não. Ninguém ouviu os disparos. Descobrimos tudo mais tarde, quando Ronnie foi ao Witches' Brew e contou ao barman. O Witches' Brew é um bar perto da Ocean Avenue. O rapaz estava pra lá de chapado."

O padre Mancuso ficou confuso.

"Você quer dizer que ele usou um rifle de alto calibre para matar seis pessoas e ninguém ouviu nada?"

Gionfriddo tem a impressão de que foi nesse momento que começou a sentir náuseas no apartamento do padre. Sentiu que precisava ir embora.

"Isso mesmo. Os vizinhos nas duas casas ao lado disseram que não ouviram nada naquela noite." Gionfriddo se levantou.

"Isso não é estranho?"

"É, também achei", respondeu o detetive, vestindo o sobretudo. "Só que você precisa se lembrar, padre, que era o auge do inverno. Muitas pessoas dormem com as janelas bem fechadas. Às 3h15, já estão dormindo como pedras."

O sargento Al Gionfriddo sabia que o padre tinha mais perguntas, mas não se importava. Tinha que dar o fora dali. Não muito tempo depois de sair do presbitério, ele vomitou.

Quando retornou a Amityville, Gionfriddo sentiu o mal-estar desaparecer. A princípio, pensou em passar na frente do número 112 da Ocean Avenue, mas mudou de ideia e seguiu para casa, subindo a Amityville Road. Ele passou pelo Witches' Brew à direita.

O Witches' Brew era um ponto de encontro para muitos jovens da cidade, sobretudo quando Amityville ficava cheia de veranistas. No entanto, em uma tarde invernal de domingo como aquela, Amityville Road, a principal rua comercial, estava vazia. Os playoffs da liga de futebol americano estavam passando na televisão, e até os fregueses mais habituais estavam em casa, com os olhos grudados na tela.

Enquanto passava de carro pelo bar, Gionfriddo não chegou a reparar na figura que entrava no Witches' Brew. O detetive já tinha avançado uns bons quinze metros quando deu uma guinada na viatura e freou até parar. Olhou para trás, mas o homem tinha ido embora. O biotipo, a barba e o andar presunçoso eram iguais aos de Ronnie DeFeo!

Gionfriddo continuou observando a porta de entrada do bar. "Argh! Estou me assustando à toa", murmurou. "Quem precisa daquele padre?" O detetive se virou, engatou a primeira marcha e se afastou do meio-fio, cantando pneu como um piloto de corrida.

Dentro do Witches' Brew, George Lutz pediu sua primeira cerveja. Ficou intrigado com o modo como o barman o encarou quando ele se sentou ao balcão. O homem abriu uma garrafa de Miller e estava servindo quando interrompeu o gesto. Parecia prestes a dizer alguma coisa para George, mas então continuou servindo a cerveja.

George olhou ao redor. O Witches' Brew era como tantos bares que frequentara em suas viagens como cabo dos fuzileiros navais e como agrimensor em cidadezinhas e vilarejos em Long Island: mal iluminado, cheirando a cerveja e cigarro e com a costumeira jukebox chamativa. Havia apenas mais um cliente, na outra ponta do comprido balcão de mogno, concentrado na televisão acima do espelho. Na tela, um sujeito comentava os melhores momentos do primeiro tempo do jogo.

George fungou, tomou um gole da cerveja e olhou para o próprio reflexo no espelho atrás do bar. Tinha precisado sair um pouco de casa, ficar sozinho. Não conseguia compreender o que estava acontecendo com sua família. As diferentes peças que encaixaria mais tarde no quebra-cabeça ainda estavam separadas demais em sua mente.

Não conseguia entender o que havia de errado com as crianças desde a mudança para a casa nova. Para George, elas estavam desobedientes, mal-educadas. As coisas nunca foram assim antes, não quando moravam em Deer Park.

Achava que Missy estava agindo de uma maneira estranha. Por sinal, ele tinha mesmo visto um porco na janela da pequena naquela noite? E onde estava o dinheiro de Jimmy? Como pode ter simplesmente desaparecido, bem diante de seus olhos?

George terminou a cerveja e fez um sinal, pedindo outra. Seus olhos se voltaram ao próprio reflexo no espelho. Ele agora se lembrava de ter passado o começo daquela semana sentado como uma estátua diante da lareira e também de se levantar e ir verificar o abrigo de barcos. Por quê? E agora mais esse negócio com o quarto vermelho no porão. O que diabos era tudo aquilo? Bem, amanhã ele passaria a investigar o histórico da casa. Começaria indo ao Amityville Real Estate Tax Assessment Office — a repartição governamental responsável pelo cálculo de impostos imobiliários —, onde poderia examinar os registros das reformas feitas na propriedade do número 112 na Ocean Avenue.

É isso, murmurou para si mesmo. Também preciso ir ao banco para cobrir aquele cheque. Não posso deixar sem fundo. George bebeu os últimos goles da segunda cerveja. A princípio, não notara o barman parado à sua frente. Então ergueu o rosto e viu o homem, imóvel. George cobriu o copo com a mão, indicando que tinha parado.

"Com licença, senhor", começou o barman. "Você está só de passagem?"

"Não", respondeu George. "Moro aqui em Amityville. Acabamos de nos mudar."

O barman balançou a cabeça.

"Bem, você é a cara de um rapaz das redondezas. Por um instante achei que fosse ele." O barman colocou o dinheiro de George na máquina registradora. "Ele foi embora agora. Não vai voltar tão cedo." Colocou o troco sobre o balcão. "Talvez nunca mais volte."

George pegou o dinheiro e deu de ombros. As pessoas sempre o confundiam com conhecidos. Talvez fosse a barba. Muitos caras usavam barbas naqueles dias.

"Bem, vejo você por aí." Ele andou até a saída do bar.

O barman balançou a cabeça de novo.

"É, volte quando quiser."

George estava na porta.

"Ei!", chamou o barman. "A propósito, para onde você se mudou?", perguntou ele.

George parou, olhou para trás e apontou mais ou menos para o oeste.

"Ah, perto daqui. Na Ocean Avenue."

O barman sentiu o copo de cerveja usado por George escorregar da mão. Quando ouviu George acrescentar, "Na Ocean Avenue, número 112", o copo caiu de sua mão e se despedaçou no chão.

Kathy esperava George voltar para casa. Estava sentada na sala de estar, ao lado da árvore de Natal, pois não queria ficar sozinha no canto da cozinha: tinha medo de se deparar com aquela presença invisível que recendia a perfume. As crianças estavam no quarto dos meninos, assistindo à televisão. Estiveram sossegadas por boa parte da tarde, absortas em um filme antigo. Ao julgar pelas risadas alegres que chegavam até ela, Kathy tinha certeza de que era Abbott e Costello.

Agora ela tentava pensar em onde o dinheiro de Jimmy poderia estar. Kathy e George tinham voltado a procurar o envelope por todos os cantos da cozinha, no vestíbulo, nas salas de estar e jantar e nos armários. O dinheiro *não* poderia ter simplesmente desaparecido do nada! Como era impossível que alguém tivesse entrado na casa e pegado, a pergunta que não queria calar era: Onde diabos estaria o dinheiro?

Kathy se lembrou da presença na cozinha e estremeceu. Fez um esforço mental para pensar nos outros cômodos da casa. A sala de costura? O quarto vermelho no porão? Começou a se levantar da poltrona, então hesitou. Kathy tinha medo de ir lá embaixo agora. Enquanto voltava a sentar na poltrona, pensou que, de qualquer maneira, ela e George não tinham visto nada além da tinta vermelha naquele cômodo.

Conferiu o relógio. Quase 16h. Onde estaria George? Ele tinha saído há quase uma hora. Kathy pensava nisso quando, pelo canto do olho direito, notou um movimento.

Um dos primeiros presentes de Natal que dera a George fora um enorme leão de cerâmica de 1,20 m, pintado em cores realistas, agachado e pronto para pular sobre uma presa invisível. George tinha achado a peça bonita e colocado na sala de estar, onde agora ficava em cima de uma mesa grande, ao lado da poltrona predileta perto da lareira.

Quando Kathy se virou e olhou diretamente para a escultura, teve certeza de tê-la visto se aproximar alguns centímetros!

Depois que o sargento Gionfriddo deixou os aposentos do padre Mancuso naquela tarde, o sacerdote ficou recriminando a própria atitude, bravo. Odiava a maneira como estava lidando com a situação dos Lutz e resolveu esquecer sua obsessão com aquela história toda. Durante as horas seguintes, mergulhou de cabeça nos assuntos que seriam apresentados na próxima semana, examinando diversos casos que tinham se acumulado.

Ao se dar conta de que precisava tomar decisões importantes que afetariam a vida das pessoas, conseguiu varrer da mente distrações como a explicação pouco satisfatória dada por Gionfriddo sobre os assassinatos de DeFeo e as dúvidas que tinha sobre a segurança dos Lutz naquela casa. Enquanto trabalhava, aos poucos notou que estava recuperando as forças. A fraqueza que sentira no ar invernal se fora. Já passava das 18h e ele estava com fome. Então se lembrou de que não tinha comido nem bebido nada desde a xícara de chá que tomou com o sargento Gionfriddo.

O padre Mancuso guardou um arquivo, se espreguiçou e foi até a cozinha. O telefone tocou na sala de estar. Era seu número particular. Ele atendeu: "Alô?". Não houve resposta, apenas um ruído estalando no fone.

O padre sentiu um calafrio percorrer o corpo. Enquanto segurava o aparelho, começou a transpirar, lembrando-se da última conversa que teve ao telefone com George Lutz.

George ouvia os estalos agudos e estridentes no próprio aparelho. O telefone tocara quando ele estava na cozinha, com Kathy e as crianças.

Enfim, depois de ninguém responder aos seus repetidos chamados, George bateu o fone no gancho.

"É mole? Algum espertinho no outro lado da linha passando trote!"

Kathy olhou para o marido. Eles estavam jantando. George voltara poucos minutos antes, dizendo que tinha feito uma longa caminhada pela cidade e se convencido de que a rua onde moravam em Amityville era a mais agradável.

Kathy achava que George estava com uma aparência melhor depois de ter espairecido. Sentiu-se boba por querer mencionar o episódio com o leão e deixou para lá, agora que George estava irritado de novo.

"O que aconteceu?", perguntou.

"Não tinha ninguém no outro lado da linha, foi isso o que aconteceu. Só um monte de chiado." Ele voltou a se sentar à mesa. "Sabe, aconteceu a mesma coisa quando tentei conversar com o padre Mancuso daquela vez. Será que ele está tentando entrar em contato com a gente?"

George voltou ao telefone e discou o número particular do padre. Esperou até o telefone tocar dez vezes. Ninguém atendeu. George olhou para o relógio acima da pia da cozinha. Eram 19h em ponto. Ele estremeceu um pouco.

"Você não acha que está voltando a ficar frio aqui, Kathy?"

O padre Mancuso tinha acabado de tirar sua temperatura, que subira para 38°C. "Oh, não", se lamentou. "De novo, não!" Começou a medir a pressão, segurando um dedo sobre o pulso. O sacerdote começou a contar quando o ponteiro grande do relógio chegou ao doze. Ele notou que eram 19h.

Ao longo de um minuto, seu coração bateu 120 vezes! A pulsação do padre Mancuso costumava ser de 80 batimentos por minuto. Soube que ficaria doente outra vez.

George saiu da cozinha e foi para a sala de estar.

"É melhor eu colocar mais lenha na lareira", disse a Kathy.

Ela observou o marido se arrastar para fora da cozinha. Kathy começou a se sentir deprimida de novo. Então ouviu um estrondo alto vindo da sala. Era George!

"Quem diabos deixou esse maldito leão no chão? Ele quase me matou!"

AMITYVILLE
JAY ANSON

DE 29 A 30 DE DEZEMBRO

11

Na manhã seguinte, segunda-feira, o tornozelo de George estava inchado. Ele levara um tombo feio ao tropeçar no leão de porcelana e caíra com tudo em cima das toras ao lado da lareira. Também tinha um corte no supercílio direito, que parara de sangrar após Kathy ter colocado um Band-Aid. O que deixava Kathy perturbada era a nítida marca de dentes no tornozelo do marido!

George mancou até a van Ford 1974 e custou a ligar o motor, que estava frio. Com as temperaturas abaixo dos 6°C negativos, sabia que poderia esperar problemas com a ignição. Depois de um tempo, enfim conseguiu dar a partida na van e cruzou Long Island na direção de Syosset. A primeira tarefa do dia era cobrir o cheque dado ao gerente do Astoria Manor, o que significava um saque da conta da William H. Parry, Inc., sua empresa de agrimensura.

Na metade do caminho até Syosset, na Sunrise Highway, George sentiu um solavanco na parte de trás da van. Ele encostou e inspecionou a traseira: um dos amortecedores tinha se soltado e caído. George ficou intrigado. Aquela era uma avaria que acontecia com amortecedores velhos e gastos, e olhe lá, mas o Ford tinha quilometragem de apenas 4.185 km. Ele seguiu dirigindo, com a intenção de recolocar a peça assim que voltasse a Amityville.

Depois de George sair naquela manhã, a mãe de Kathy ligou para contar que recebera um cartão de Jimmy e Carey que estavam nas Bermudas. "Por que você não me faz uma visitinha com as crianças?" O carro de Jimmy estava na entrada, mas Kathy não tinha vontade de sair de casa. Respondeu que ainda precisava lavar roupas, mas que ela e George poderiam fazer uma visita na véspera de Ano-Novo. Eles ainda não tinham feito nenhum plano e ela falaria com George quando ele voltasse.

Kathy desligou o telefone e olhou em volta, sem saber ao certo o que fazer. Continuava sentindo o abatimento do dia anterior e temia ficar a sós na cozinha ou descer ao porão para usar as máquinas de lavar. Depois do incidente com o leão de cerâmica, Kathy também hesitava em ir para a sala de estar. Acabou decidindo que o melhor era subir e ficar perto dos filhos. Pensou que ao lado deles não se sentiria tão sozinha e amedrontada.

Kathy ficou um pouco com Missy no quarto dela e com Danny e Chris no quarto deles. Depois se recolheu para descansar e cochilou por cerca de quinze minutos, quando começou a ouvir um barulho vindo da sala de costura, do outro lado do corredor. Era como se alguém estivesse abrindo e fechando uma janela.

Kathy saltou da cama e foi até a porta da sala de costura, que continuava fechada. Podia ver que Missy estava no quarto dela e conseguia ouvir os meninos correndo no andar de cima.

Aguçou os ouvidos. Por trás da porta fechada, o barulho continuava. Kathy encarou a porta, mas não teve coragem de abrir. Deu meia-volta, correu para o quarto e se enfiou na cama, puxando a coberta por cima da cabeça.

Ao chegar ao escritório em Syosset, George encontrou uma visita esperando. O homem se apresentou como auditor da Receita Federal e explicou que estava ali para examinar os livros de contabilidade e as restituições dos impostos da empresa. George chamou o contador. O auditor da Receita conversou com o funcionário e marcou uma reunião para o dia 7 de janeiro.

Depois que o auditor foi embora, George deu prosseguimento a suas prioridades. Precisava transferir 500 dólares da conta da William H. Parry, Inc. para sua conta-corrente e supervisionar as plantas concluídas de inúmeras agrimensuras. Também precisava decidir como lidar com a pequena quantidade de serviços solicitados ao escritório desde sua ausência e fazer algumas pesquisas sobre a família DeFeo e o histórico do número 112 da Ocean Avenue.

Quando os funcionários de sua equipe perguntaram por que se ausentara por tanto tempo, George se limitou a dizer que estivera doente. Sabia que estava mentindo, mas que outra explicação poderia dar? Por volta das 13h, George tinha terminado suas obrigações em Syosset e planejava fazer mais uma parada antes de voltar a Amityville.

O maior jornal diário de Long Island, em tiragem e anúncios, é o *Newsday*. Por isso, George concluiu que a sede do *Newsday* em Garden City seria o ponto de partida mais lógico para descobrir alguns fatos sobre os DeFeo.

Ele foi encaminhado para o departamento de microfilmes, onde um funcionário cruzou os arquivos das datas dos assassinatos dos DeFeo e do julgamento de Ronnie. George tinha apenas vagas lembranças dos detalhes da chacina, mas lembrava bem que o julgamento do filho que assassinou a família fora realizado em Riverhead, Long Island, no outono de 1975.

George colocou o microfilme do jornal no leitor e avançou até o dia 14 de novembro de 1974. Um dos primeiros artigos tinha uma foto de Ronnie DeFeo tirada na época de sua prisão, na manhã seguinte à descoberta dos corpos da família no número 112 da Ocean Avenue. O rosto barbudo de 23 anos que encarava de uma foto poderia ser confundido com o de George! Ele estava prestes a continuar lendo, quando lhe ocorreu que aquele *era* o rosto que vislumbrara brevemente no painel de compensado no porão!

As primeiras matérias reportavam como Ronnie entrara correndo em um bar perto de sua casa, pedindo ajuda, dizendo que alguém tinha assassinado seus pais, seus irmãos e suas irmãs. Ao lado de dois amigos, Ronald DeFeo voltou à casa. Lá encontraram os cadáveres de Ronald pai (43 anos), Louise (42), Allisson (13), Dawn (18), Mark (11) e John (9). Todos estavam em suas camas, baleados pelas costas.

As reportagens seguiam contando que, na época da prisão de DeFeo, na manhã seguinte, a polícia de Amityville disse que o motivo para a chacina foi um seguro de vida no valor de 200 mil dólares, além de um cofre cheio de dinheiro, escondido no armário do quarto dos pais.

A última matéria explicava que, quando a promotoria estivesse pronta, o julgamento seria realizado na Suprema Corte em Riverhead.

George inseriu outro rolo de microfilme, este contendo um registro diário do julgamento, que durou sete semanas entre setembro e novembro. Além das acusações de violência policial ao forçar uma confissão de Ronnie DeFeo, o registro incluía a defesa do advogado William Weber e seu desfile de psiquiatras, que foram até a tribuna para reforçar a alegação da insanidade de Ronnie. Apesar disso, o júri considerou que o jovem era são e culpado. Ao impor uma sentença de seis prisões perpétuas *consecutivas*, o juiz Thomas Salk, da Suprema Corte, descreveu os assassinatos como "crimes hediondos e repugnantes".

George saiu do *Newsday* pensando no relatório do legista, que declarava que as mortes dos DeFeo aconteceram por volta das 3h15. Aquele era o momento exato em que vinha acordando desde a mudança para a casa! Precisava contar isso para Kathy.

George também se perguntou se os DeFeo tinham usado o quarto vermelho no porão como esconderijo para o dinheiro. No trajeto de volta a Amityville, George estava tão absorto em seus pensamentos que não percebeu nem ouviu que o pneu esquerdo estava oscilando.

Quando parou em um sinal vermelho na Route 110, outro carro encostou ao lado. O motorista se inclinou e abriu a janela do lado direito. Deu um toque na buzina para chamar a atenção de George, depois gritou que a roda estava se soltando!

George saiu e examinou a roda. Todos os parafusos estavam soltos, e ele pôde sentir que todos giravam com facilidade em seus dedos. Com as janelas fechadas, George ouvira um barulho fraco mas, imerso em pensamentos, nem sequer cogitou a possibilidade de que o ruído pudesse estar vindo do próprio carro.

O que diabos estava acontecendo? Primeiro o amortecedor tinha se soltado e caído, agora isso. Será que alguém estava mexendo na van? Ele ou Kathy poderiam morrer se a roda se soltasse enquanto estivessem dirigindo em uma velocidade um pouco mais alta.

George ficou ainda mais bravo e frustrado quando procurou a chave de roda na traseira da van. Tinha sumido! Ele teria que apertar os parafusos com as mãos até chegar a um posto de gasolina. Então já estaria muito tarde para pesquisar mais sobre o histórico do número 112 da Ocean Avenue.

Na terça-feira, o padre Mancuso já não era capaz de ignorar a vermelhidão nas palmas das mãos, nem a dor insuportável que sentia quando tocava os pontos sensíveis. Apesar das injeções com antibióticos aplicadas pelo médico, o padre não conseguira se livrar daquele segundo ataque de gripe. Sua temperatura permanecia alta, e todas as dores no corpo pareciam multiplicadas por cem.

No dia anterior, segunda-feira, o padre Mancuso havia encarado a vermelhidão nas palmas das mãos apenas como outra manifestação da doença. Porém, como a coloração peculiar não passou e a extrema sensibilidade ficou mais intensa — a ponto de tornar doloroso o simples ato de pegar qualquer coisa com as mãos —, o padre Mancuso começou a ficar muito mais preocupado.

No dia seguinte, George encontrou algumas informações interessantes na Amityville Historical Society, em especial sobre o local de construção da casa. Parece que os índios shinnecock usavam o terreno às margens do rio Amityville como local para manter os doentes, os loucos e os moribundos. Esses infelizes ficavam isolados e entregues à própria sorte, enclausurados até a morte. Contudo, o relatório apontava que os shinnecocks não usavam aquele pedaço de terra como cemitério porque acreditavam que era infestado por demônios.

Por quantos incontáveis séculos os shinnecocks seguiram essa tradição, ninguém sabe ao certo. De qualquer maneira, no final do século XVII, colonizadores brancos expulsaram os nativos norte-americanos da área, forçando a dispersão por Long Island. Até hoje, os shinnecocks têm terrenos, propriedades e negócios na ponta mais oriental da ilha.

Um dos mais notórios colonizadores que chegou a uma Amityville recém-batizada naquela época foi um tal de John Catchum ou Ketcham, que fora expulso de Salem, estado de Massachussetts, por praticar bruxaria. John estabeleceu sua residência a 150 m do número 112 da Ocean Avenue, dando continuidade ao suposto culto demoníaco. O relatório também afirmava que ele foi enterrado em algum lugar no canto nordeste da propriedade.

No Real Estate Tax Assessment Office da cidade, George descobriu que sua casa fora construída em 1928 por um tal de sr. Monaghan e passou pelas mãos de diversas famílias até que, em 1965, os DeFeo a compraram dos Riley. No entanto, apesar de todas as pesquisas dos últimos dois dias, George não conseguiu descobrir para o que o quarto vermelho servia ou quem o construíra. Não havia nenhum registro sobre qualquer obra realizada na casa que mencionasse o acréscimo de um cômodo no porão.

Era a noite anterior à véspera de Ano-Novo, e os Lutz foram cedo para a cama. George verificara a sala de costura para Kathy, como fizera na noite anterior, assim que voltara do *Newsday*. Nas duas ocasiões, as janelas estavam fechadas e trancadas.

Mais cedo, eles tinham conversado sobre as descobertas de George a respeito da história do terreno e da casa.

"George", perguntou Kathy, ansiosa, "você acha que a casa é mal-assombrada?"

"De jeito nenhum", respondeu ele. "Não acredito em fantasmas. Tudo o que anda acontecendo por aqui deve ter uma explicação lógica e científica."

"Não tenho tanta certeza. E o leão?"

"O que tem ele?", perguntou George.

Kathy passou os olhos pela cozinha, onde os dois estavam sentados.

"Bem, e o que eu senti naquelas duas ocasiões? Eu disse a você que *tenho certeza* de que alguém tocou em mim, George."

George se levantou e se espreguiçou.

"Oh, por favor, querida, acho que foi só sua imaginação." Ele buscou a mão dela. "A mesma coisa aconteceu comigo, quando tive certeza de que meu pai colocou a mão em meu ombro lá no escritório." Ele puxou a mão da esposa, para levantá-la da cadeira. "Tive certeza absoluta de que ele estava em pé, bem do meu lado. Isso acontece com muitas pessoas, mas é... é... acho que chamam isso de clarividência ou algo assim."

O casal estava abraçado quando George apagou a luz da cozinha. Eles passaram pela sala de estar no caminho até a escada. Kathy hesitou, pois conseguia ver o leão agachado na escuridão do cômodo.

"George. Acho que a gente deve continuar com nossa meditação. Vamos fazer isso amanhã, ok?"

"Você acha que assim a gente vai encontrar uma explicação lógica para tudo o que aconteceu?", perguntou ele, puxando a esposa para cima.

Não havia nenhuma explicação lógica ou científica para o padre Frank Mancuso, que se preparava para dormir em seus aposentos. Ele acabara de fazer sua oração, procurando e esperando uma resposta para a coceira terrível que sentia nas palmas das mãos.

AMITYVILLE
JAY ANSON

31 DE DEZEMBRO

12

O ano de 1976 estava prestes a chegar. O último dia de 1975 amanheceu com uma nevasca pesada, o que para muitas pessoas era um sinal de que o ano novo seria recebido por um tempo fresco e limpo.

Porém, na residência dos Lutz, o clima era bem diferente. George não dormira bem, embora estivesse bastante ocupado durante os dois últimos dias, tanto dentro quanto fora da casa. Ele acordou no meio da noite, conferiu o relógio e ficou surpreso ao ver que eram 2h30, e não 3h15, como tinha imaginado.

George voltou a acordar às 4h30, viu que começava a nevar e tentou dormir de novo sob o calor das cobertas. Só que, como se virava de um lado para outro, não conseguiu encontrar uma posição confortável. Sem acordar, Kathy ficou incomodada com a inquietação do marido e virou para o lado, de modo que George foi empurrado para a beirada da cama. Sem sono, ele ficou imaginando que encontraria esconderijos espalhados pela casa, cheios de dinheiro, que usaria para resolver todos os problemas financeiros.

George começava a se sentir pressionado pelo acúmulo de contas: havia os gastos da casa que acabara de comprar e também as despesas do escritório, que em breve apresentaria sérios problemas de déficit na folha de pagamento. Todas as economias da família foram usadas para fechar a compra da casa, pagar uma antiga dívida de combustível e quitar os barcos e as motocicletas. E agora mais uma dor de cabeça: a apuração dos livros de contabilidade e das restituições de impostos pela Receita Federal. Não era de se estranhar que George sonhasse com uma solução mágica para a enrascada em que se encontrava.

Queria muito encontrar o dinheiro de Jimmy, já que os 500 dólares salvariam sua vida. George contemplou a neve que caía. Tinha lido em uma matéria do jornal que a situação financeira do sr. DeFeo era muito confortável, com direito a uma polpuda conta bancária e a um cargo alto em uma importante concessionária de carros, que pertencia ao seu sogro.

George passara em revista o armário do quarto do casal e encontrara o esconderijo do sr. DeFeo embaixo do batente da porta. Na época da prisão de Ronnie, a polícia descobrira o local secreto, que agora estava vazio e era apenas um buraco no chão. George ficou imaginando onde mais os DeFeo poderiam ter escondido o dinheiro que tinham.

O abrigo de barcos! George se sentou na cama. Talvez existisse um significado por trás do impulso que sentia todas as noites. Será que estava sendo arrastado por algo ou por alguma *coisa* para lá? Será que de alguma maneira estava sendo incitado pelo morto a procurar sua fortuna lá dentro? George sabia que estava desesperado, inclusive a ponto de cogitar uma ideia tão disparatada. Agora, por que mais ele *seria* atraído para o abrigo de barcos, noite após noite?

Às 6h30, George enfim desistiu de pegar no sono e saiu da cama. Como sabia que não voltaria a dormir naquela manhã, se esgueirou em silêncio para fora do quarto, foi até a cozinha e preparou um pouco de café.

Ainda estava escuro do lado de fora àquela hora, mas ele conseguia ver que a neve começava a se acumular perto da porta da cozinha. Constatou que havia uma luz acesa no andar térreo do vizinho e pensou que talvez o proprietário também estivesse com problemas financeiros e não conseguisse dormir.

George sabia que não iria ao escritório naquele dia. Era véspera de Ano-Novo e todo mundo sairia mais cedo de qualquer maneira. Tomou o café e planejou revistar o abrigo de barcos e o porão, em busca de algumas pistas. Então começou a sentir frio dentro da casa.

O termostato abaixava a temperatura automaticamente entre a meia-noite e as 6h. Só que agora eram quase 7h e o aquecimento não parecia estar ligado. George foi até a sala de estar e colocou algumas achas e um pouco de papel na lareira. Antes de atear fogo, notou que a parede de tijolos estava escurecida pela fuligem acumulada do uso quase ininterrupto da lareira.

Pouco depois das 8h, Kathy desceu com Missy. A menininha acordara a mãe com gritinhos entusiasmados.

"Oh, mamãe, olha quanta neve! Não é lindo?! Quero ir lá fora e brincar de trenó hoje!"

Kathy preparou o café da manhã da filha, mas não quis comer nada. Ela só tomou café e fumou um cigarro. George também estava sem apetite e apenas tomou outra xícara de café. Ele precisou buscar a bebida na cozinha porque Kathy não queria entrar na sala de estar, se queixando de uma dor de cabeça terrível. Na verdade, apesar da dor de cabeça de matar, estava com medo do leão de porcelana e planejava se livrar dele antes do fim do dia.

Por volta das 9h, George já tinha alimentado a lareira na sala de estar até ela virar uma fogueira ardente. Às 10h, a neve continuava caindo. Da cozinha, Kathy gritou para George que uma rádio local previra que o rio Amityville estaria totalmente congelado ao anoitecer.

Relutante, George se levantou da poltrona ao lado da lareira, se vestiu, calçou as botas e foi até o abrigo de barcos. Não tivera dinheiro para retirar a lancha de passeio da água durante o inverno. Se o rio congelasse, o gelo acabaria estragando o casco, mas George tinha se preparado para uma emergência como aquela.

A mãe de George lhe dera um compressor de ar para pintura, e ele abrira buracos na mangueira de plástico. Agora era o momento de mergulhar a mangueira na água ao lado do barco e ligar o compressor, que atuaria como um sistema de bombeamento contínuo, impedindo que a água dentro do abrigo de barcos congelasse.

O padre Mancuso passara a manhã inteira olhando as mãos, que tinham começado a supurar na noite anterior. Estavam secas agora, mas restaram bolhas avermelhadas e sensíveis.

A febre também continuava alta, nos 39°C. Quando recebeu a visita do pastor, o padre Mancuso prometeu ficar na cama pelo resto do dia, sem mencionar o problema com as mãos, que manteve nos bolsos do roupão.

Assim que o pastor foi embora, o padre Mancuso observou as horríveis erupções em sua pele e ficou com raiva. Todo aquele sofrimento apenas por uma visita a uma casa sem importância em Amityville? O sacerdote estava disposto a entregar a vida a qualquer chamado de Deus, mas que pelo menos fosse para ajudar a humanidade. Com todo seu treinamento, sua devoção, sua experiência e sua habilidade, deveria haver alguma explicação racional que pudesse aplicar àquele enigma. Como naquele momento não encontrava nenhuma, estava com raiva.

A raiva serviu apenas para aumentar as dores nas palmas das mãos. O padre Mancuso decidiu então rezar pedindo alívio e, enquanto orava, a concentração no próprio infortúnio diminuiu. O entorpecimento nas mãos fechadas diminuiu devagar. Ele abriu os dedos e fitou as bolhas, depois suspirou e se ajoelhou para agradecer a Deus.

Na tarde daquele mesmo dia, Danny e Chris ameaçaram fugir de casa. Era a segunda vez que aquilo acontecia: a primeira datava de quando ainda moravam na casa do padrasto, em Deer Park. Na época, George deixara os dois de castigo no quarto por uma semana porque estiveram contando mentirinhas para ele e Kathy. Os meninos tinham se revoltado contra sua autoridade, se recusado a obedecer e ameaçado fugir de casa se também ficassem sem televisão. A essa altura, George aceitara o desafio, dizendo a Danny e a Chris que poderiam ir embora se não gostavam do jeito como ele cuidava das coisas em casa.

Os dois garotos acreditaram naquelas palavras, enrolaram todos os pertences — brinquedos, roupas, discos e revistas — nas roupas de cama e arrastaram as grandes trouxas até a porta de entrada. Quando tinham avançando até a metade do quarteirão, tentando desesperadamente arrastar aquela carga pesada, foram vistos por um vizinho, que convenceu a dupla a voltar. Por algum tempo, Danny e Chris pararam de contar mentirinhas, mas acabavam de ter uma recaída.

Quando ouviu a briga, Kathy subiu até o quarto dos meninos e encontrou os dois em uma das camas. Chris estava sobre o peito de Danny, pronto para bater no irmão mais velho. Missy estava sentada na outra cama, estampando um sorriso largo no rostinho. Ela batia palmas toda animada.

Kathy separou os filhos.

"O que vocês pensam que estão fazendo?", gritou. "Qual é o problema com vocês dois? Estão ficando loucos?"

Missy se meteu. "Danny não queria arrumar o quarto como você tinha mandado."

Kathy lançou um olhar severo para o garoto.

"E por que não, mocinho? Está vendo o estado deste quarto?"

O quarto *estava* uma bagunça. Havia brinquedos espalhados por todo lado, misturados com roupas jogadas no chão. Embalagens de um antigo conjunto de tintas estavam destampadas, e havia tinta sobre os móveis e tapetes. Alguns brinquedos que eles tinham acabado de ganhar no último Natal já estavam quebrados e tinham sido atirados nos cantos do quarto. Kathy balançou a cabeça.

"Não sei o que vou fazer com vocês. Compramos essa casa linda para que vocês tivessem o próprio quarto de brinquedos e olha só o que vocês fizeram!"

Danny se desvencilhou do aperto da mãe.

"Você não espera que a gente fique naquele quarto de brinquedos idiota!"

"É!", concordou Chris. "A gente não gosta daqui. Não tem ninguém para brincar com a gente!"

Kathy e os garotos bateram boca por cerca de cinco minutos até Danny lançar o desafio e provocar a mãe com a ameaça de fugir de casa. Já Kathy respondeu que os dois levariam uma bela surra para que aprendessem a se comportar. "E vocês sabem quem é que distribui as palmadas por aqui!"

Quando chegou a hora do jantar, a família Lutz tinha acalmado os ânimos. Os meninos estavam mais calmos, embora Kathy ainda pudesse sentir uma clima de tensão à mesa. George dissera a Kathy que preferia ficar em casa naquela véspera de Ano-Novo, até para evitar os bêbados na estrada durante o trajeto de volta da casa da sogra. Eles não tinham feito nenhum plano com os amigos e estava frio demais para ir ao cinema.

Depois da janta, Kathy convenceu George a levar o leão de cerâmica de volta à sala de costura. Mais uma vez, havia algumas moscas agarradas à vidraça da janela que dava para o rio Amityville. Irritado, George esmagou uma a uma, antes de bater a porta com um estrondo.

Por volta das 22h, Missy adormecera no chão da sala de estar, depois de fazer Kathy prometer que a acordaria à meia-noite, a tempo de soprar sua língua de sogra. Danny e Chris ainda estavam acordados, brincando perto da árvore de Natal e assistindo à televisão. George alimentava o fogo. Kathy estava sentada do outro lado, tentando espantar o desânimo assistindo a um filme antigo com os meninos.

À medida que a noite avançava, as mãos do padre Mancuso começaram a incomodar outra vez. As bolhas estavam piores e tinham aparecido também nas costas das mãos. Como não suportava a ideia de passar a noite inteira com dor e medo, quando o médico chegou para ver como ele estava, o padre de repente estendeu as mãos para frente e exclamou: "Olhe!".

O médico examinou as bolhas com delicadeza.

"Frank, não sou dermatologista", disse. "Isso pode ser muita coisa, desde uma alergia até um ataque de ansiedade. Você está preocupado com alguma coisa?"

O padre Mancuso desviou o olhar triste do médico, contemplando a neve através da janela.

"Acho que sim. Com alguma coisa...", o padre voltou a olhar para o médico, "...ou com alguém."

O médico garantiu que o sacerdote sentiria um pouco de alívio pela manhã. Em seguida foi para uma festa de Ano-Novo.

Na televisão, Guy Lombardo celebrou a virada de ano no Waldorf-Astoria Hotel. Os Lutz assistiram à bola cair do Allied Chemical Building na Times Square, mas não fizeram coro à contagem regressiva do apresentador Ben Grauer nos últimos dez segundos de 1975.

Danny e Chris tinham subido para o quarto cerca de meia hora antes, com os olhos vermelhos de tanta televisão e pela fumaça da lareira de George. Kathy colocara Missy na cama e, em seguida, voltara para sua poltrona de frente para George.

O relógio marcava agora meia-noite e um. Kathy contemplava a lareira, hipnotizada pela dança das labaredas. Algo estava se materializando naquelas chamas — um contorno branco contra os tijolos escurecidos —, ficando mais nítido, mais distinto.

Kathy tentou abrir a boca para dizer alguma coisa para o marido. Não conseguiu. Não conseguiu afastar os olhos do demônio com chifres e capuz branco e pontiagudo sobre a cabeça. A criatura estava ficando maior, crescendo em sua direção. Depois de perceber que metade do rosto daquela coisa fora arrancado, como se atingido por um disparo de espingarda à queima-roupa, Kathy gritou.

George ergueu o olhar.

"O que foi?", perguntou.

Tudo o que Kathy conseguiu fazer foi indicar a lareira. George acompanhou o olhar da esposa e viu também — uma figura branca que se queimara na fuligem acumulada nos tijolos do fundo da lareira.

AMITYVILLE
JAY ANSON

1 DE JANEIRO DE 1976

13

George e Kathy enfim foram para a cama à 1h. Dormiram pelo que lhes pareceria pouco mais de cinco minutos quando, então, foram acordados pelo vento, que rugia no ambiente.

Os cobertores tinham sido praticamente arrancados da cama, fazendo com que George e Kathy tremessem. Todas as janelas do quarto estavam escancaradas, e a porta balançava para lá e para cá, ao sabor das correntes de ar.

George pulou da cama e correu para fechar as janelas, enquanto Kathy recolhia os cobertores do chão e jogava de volta na cama. Os dois estavam atordoados pelo despertar súbito e, embora a porta do quarto tivesse se fechado com um estrondo, ainda podiam ouvir o vento uivando no corredor do segundo andar.

George abriu a porta com um puxão e foi atingido por outro sopro de ar frio. Ao acender a luz do corredor, ficou surpreso ao constatar que as portas da sala de costura e do quarto de vestir estavam escancaradas, a ventania soprando livre pelas janelas abertas. Apenas a porta do quarto de Missy permanecia fechada.

Ele correu primeiro até o quarto de vestir e, lutando contra a ventania, conseguiu forçar as janelas para baixo. Em seguida foi para a sala de costura e, lacrimejando de frio, fechou uma das janelas. Só que não conseguia de jeito nenhum baixar a janela que dava para o rio Amityville. Furioso, bateu com os punhos no batente, até que por fim a janela cedeu e deslizou para fechar.

George ficou ali parado, tentando recuperar o fôlego, tremendo sob o pijama. O vento já não soprava pela casa, mas ele podia ouvir as violentas rajadas do lado de fora. O frio permanecia. George deu mais uma olhada ao redor do quarto e então se lembrou de Kathy.

"Querida?", chamou. "Você está bem?"

Quando Kathy acompanhou o marido até o corredor, também viu as portas abertas e notou que a porta de Missy continuava fechada. Com o coração acelerado, Kathy correu para o quarto da filha e disparou porta adentro. Acendeu a luz.

O quarto estava aquecido, quase quente demais. As janelas estavam fechadas e trancadas, e a menininha dormia a sono solto em sua cama.

Havia algo se movendo no quarto. Então Kathy percebeu que era cadeira de Missy ao lado da janela, balançando devagar para frente e para trás. Em seguida, ouviu a voz de George.

"Querida? Você está bem?"

George entrou no quarto e foi atingido em cheio pelo calor: era como ficar na frente de uma fogueira. Ele registrou tudo de uma vez — Missy dormindo em segurança, a esposa de pé ao lado da cama, uma expressão de incredulidade e medo no rosto, e a cadeirinha oscilando para frente e para trás.

Ele deu um passo na direção da cadeira de balanço e os movimentos pararam na hora. George se deteve no mesmo instante, ficou completamente imóvel e gesticulou para Kathy.

"Leve ela para baixo! Depressa!"

Kathy não questionou George: tirou a menininha da cama, com os cobertores e tudo, e se apressou para fora do quarto. George saiu logo em seguida e bateu a porta, sem nem mesmo se dar o trabalho de apagar a luz.

Kathy desceu com cuidado os degraus até o primeiro andar. O corredor estava congelando. George subiu correndo até o andar superior, onde Danny e Chris dormiam.

Quando voltou do terceiro andar poucos minutos depois, ele viu a esposa sentada na sala de estar escura. Kathy estava ninando Missy, que continuava adormecida em seu colo. Ele acendeu a luz da sala, o lustre lançando sombras nos cantos.

Kathy afastou os olhos da lareira para sondar o rosto do marido. "Eles estão bem", garantiu George. "Os dois estão dormindo. Está frio lá em cima, mas eles estão bem." Kathy soltou a respiração. Ele viu a exalação suspensa no ar gelado.

Sem demora, começou a preparar a lareira. Seus dedos estavam dormentes e, de repente, George percebeu que estava descalço e não tinha vestido nada por cima do pijama. Enfim conseguiu fazer um pouco de fogo com jornal, depois abanou a chama com a mão até que as aparas velhas se inflamaram.

Agachado na frente da lareira, ele podia ouvir o vento uivando fora da casa. Então se virou e olhou para Kathy.

"Que horas são?"

Foi a única coisa que conseguiu pensar em dizer, George Lutz relembra. Ele se lembra da expressão no rosto de Kathy quando fez a pergunta. Ela encarou o marido por alguns instantes, depois respondeu: "Acho que são...". Porém, antes que conseguisse terminar, ela explodiu em lágrimas, o corpo inteiro tremendo, descontrolado. Ela balançava Missy para frente e para trás em seus braços, soluçando. "Oh, George, estou morrendo de medo!"

George se levantou e se aproximou da esposa e da filha. Agachou-se na frente da poltrona e abraçou as duas.

"Não chore, querida, eu estou aqui", sussurrou. "Ninguém vai machucar você ou a pequena."

Os três ficaram nessa posição por algum tempo. Aos poucos, o fogo ganhou intensidade e a sala começou a esquentar. George teve a impressão de que o vento diminuía do lado de fora. Então ouviu o aquecedor a óleo ligar no porão e soube que eram 6h em ponto do primeiro dia do ano novo.

Por volta das 9h, a temperatura no número 112 da Ocean Avenue subira para os 23°C controlados pelo termostato, e o frio glacial dentro da casa tinha se dissipado. George fizera uma inspeção em cada janela, do primeiro ao terceiro andar. Como não havia nenhuma evidência visível de que alguém tivesse mexido nas trancas das janelas do segundo andar, ele ficou totalmente desconcertado. Como um acontecimento tão estranho assim poderia ter acontecido?

Ao relembrar o episódio, George afirma que na época ele e Kathy não conseguiram pensar em nenhuma explicação para o que aconteceu com as janelas e cogitaram alguma estranha força da natureza — que levou os ventos a forçar as janelas para cima, com força de um furacão. No entanto, não sabe explicar por que isso aconteceu apenas com as janelas do segundo andar, e não com as do restante da casa.

De repente, George sentiu necessidade de ir ao escritório. Embora fosse feriado e ninguém estivesse trabalhando, ele sentiu um impulso de verificar as operações de sua empresa.

A William H. Parry, Inc. contava com quatro equipes de engenheiros e agrimensores em campo. A empresa criara os projetos e as plantas para o até então maior complexo de edifícios da cidade de Nova York e também para as Glen Oaks Towers, em Glen Oaks, Long Island. Além disso, executara o planejamento urbano para a renovação de quarenta quarteirões em Jamaica, Queens, e realizava inúmeros pequenos serviços de agrimensura para empresas de seguros imobiliários. A função de coordenar a organização de cada dia de trabalho era bem complicada e, durante as últimas semanas, George delegara a tarefa para um dos projetistas — um funcionário experiente que trabalhara para seu pai e seu avô.

Ao longo do último ano, depois de sua mãe lhe passar o controle total da empresa, a preocupação principal de George foi receber os pagamentos da prefeitura e das construtoras que usavam seus serviços. A folha de pagamento e os gastos da empresa eram muito maiores do que costumavam ser na época em que seu pai era vivo. Ele também precisava quitar seis carros e novos equipamentos de campo. George se deu conta de que andava descuidado e estava na hora de retomar as rédeas do negócio.

Às 10h, o padre Mancuso também estava acordado, depois de passar uma noite agitada: tinha dormido pouco e acordado inúmeras vezes para deixar as mãos, que estavam cobertas de bolhas, de molho em uma Solução de Burow, seguindo a orientação médica. O padre estava de pé desde às 7h, embora continuasse debilitado pela gripe e se sentisse melhor deitado.

A solução aliviara um pouco o desconforto e a coceira nas palmas das mãos, mas o remédio receitado para a gripe não surtira efeito contra a febre alta. Procurando se concentrar em outras coisas e tentando se esquecer da aflição misteriosa, o padre Mancuso leu algumas revistas que assinava, buscando artigos que desviassem sua atenção dos problemas. Ao longo das três horas seguintes, leu uma dúzia de periódicos novos e velhos. Então notou uma pequena mancha na última revista que folheara.

O sacerdote virou as mãos. As palmas estavam com sangue: as bolhas tinham estourado.

Por volta do meio-dia, George estava em Syosset, trabalhando com a calculadora de mesa com bobina. Tinha acabado de constatar que o dinheiro que estava entrando não cobria o dinheiro que estava saindo. A coluna de saída estava muito maior do que a de entrada nos últimos tempos, e ele sabia que teria que fazer cortes nas equipes de campo e no quadro de funcionários da empresa.

George odiava a ideia de retirar o ganha-pão de seus trabalhadores, sobretudo porque sabia que teriam dificuldades em encontrar outros empregos no sofrido mercado da construção. Mas ele não tinha escolha e apenas se perguntou por onde começar. No entanto, não ponderou demais sobre o assunto porque tinha problemas mais urgentes: antes do fim do dia seguinte — sexta-feira, o último dia útil da semana —, ele precisava transferir fundos de uma conta da empresa para outra, a fim de cobrir os cheques emitidos para fornecedores.

Concentrado demais nessas tarefas, ele nem notou o tempo passar. Pela primeira vez desde o dia 18 de dezembro, George Lutz não estava pensando no próprio umbigo ou no número 112 da Ocean Avenue.

Já sua esposa estava pensando — e muito — a respeito da casa. Embora não tivesse dito com todas as letras para o marido, Kathy começava a se convencer de que alguns acontecimentos das últimas duas semanas eram frutos de forças externas. Ela só não comentara ainda porque tinha certeza de que George acharia suas conclusões bobas e porque sentia vergonha demais para contar sobre o episódio com o leão de cerâmica.

Hoje ela acredita que se deu conta da conexão entre os diversos acontecimentos antes do que George. Como estava assustada e queria conversar com alguém, chegou a pensar na mãe, mas logo descartou a ideia. Joan Conners era muito devota e insistiria para que Kathy conversasse com seu antigo pároco o quanto antes.

Kathy não estava muito preparada para entrar na seara de fantasmas e demônios: queria que a princípio a discussão permanecesse em um nível mais abstrato. Contudo, em seu íntimo, sabia muito bem aonde o assunto acabaria fatalmente chegando.

Ela foi para a cozinha e discou o número da única pessoa que compreenderia o que estava procurando — o padre Mancuso.

Ela ouviu a ligação ser completada e o primeiro toque ressoar do outro lado da linha. Enquanto esperava o segundo toque, Kathy de repente se deu conta de que a cozinha estava impregnada por uma fragrância adocicada de perfume. Sua pele ficou arrepiada enquanto aguardava o toque familiar em seu corpo.

O telefone do padre Mancuso tocou outra vez, mas Kathy não falou nada. Ela desligou o telefone e disparou para fora da cozinha.

No presbitério, depois de deixar as mãos imersas na solução, o padre Mancuso constatou que o sangramento nas palmas tinha parado. Ele estava segurando uma toalhinha quando o telefone tocou na sala de estar. Atendeu depois do segundo toque.

Quando disse "Alô?", a ligação caiu. Olhou para o aparelho. "Ora! O que foi isso?" Então o padre Mancuso pensou em George Lutz e balançou a cabeça. "Oh, não! Não vou passar por isso de novo!" Devolveu o fone ao gancho e voltou para o banheiro.

O sacerdote observou as bolhas. Nojento!, pensou. Depois olhou para seu rosto no espelho. "Quando isso vai acabar?", perguntou para o reflexo. Dava para ver que estava doente: as olheiras sob os olhos estavam mais escuras e a pele era de uma palidez doentia. O padre Mancuso tocou a barba com delicadeza. Precisava ser aparada, mas sua mão não ficaria firme o bastante para segurar a tesoura.

O padre Mancuso afirma que, ao fitar seu reflexo no espelho, de repente pensou em demonologia. O sacerdote sabia que a área era vasta e envolvia diversos fenômenos ocultos. Nunca gostara do tema, nem mesmo durante sua época de estudante no seminário, e tentara não se tornar um grande conhecedor.

O padre Mancuso conhece outros padres que se dedicam à demonologia, mas nunca conversou com um exorcista. Todos os padres têm a autoridade para realizar os Ritos de Exorcismo, mas a Igreja Católica prefere que essa perigosa cerimônia fique restrita àqueles clérigos que se especializaram em obsessão e possessão.

O padre Mancuso ficou encarando os próprios olhos no espelho do banheiro, sem encontrar respostas para seu dilema. Sentiu que era hora de se abrir com seu amigo, o pastor do presbitério de Long Island.

A neve que caíra de manhã tornara muito perigoso o tráfego pelas estradas. Conforme o dia avançava e o frio aumentava, os carros atolavam em montes de neve e derrapavam em pontos congelados por toda Long Island. Por sorte, a neve tinha parado de cair no momento em que George dirigia de volta a Amityville, depois de sair do escritório, e ele chegou bem em casa.

A entrada para carros do número 112 da Ocean Avenue estava tomada pela neve fresca. George constatou que precisaria abrir um caminho até a garagem, antes de manobrar a van pela entrada. Vou fazer isso amanhã, pensou, deixando o veículo estacionado na rua, que pouco antes fora desobstruída pelos caminhões limpa-neve da prefeitura.

Ele viu que Danny e Chris tinham brincado na neve, já que os trenós estavam encostados nos degraus que levavam à porta da cozinha. Quando entrou, percebeu que os meninos tinham deixado uma trilha de pegadas de neve derretida que atravessava a cozinha e subia pela escada. Kathy deve estar lá em cima, disse para si mesmo. Se ela tivesse visto a sujeira levada para dentro de sua casa limpa, a coisa teria ficado feia.

George encontrou a esposa no quarto de casal, deitada na cama, lendo para Missy um dos livros novos que a garotinha tinha ganhado de Natal. Missy batia palmas toda contente.

"Olá, pessoal", disse ele.

A esposa e a filha olharam para ele. "Papai!", gritaram as duas ao mesmo tempo, pulando da cama e abraçando George com alegria.

Pela primeira vez ao que a Kathy parecia uma eternidade, a família Lutz teve um jantar feliz. Sem que a mãe soubesse, Danny e Chris, obedecendo George, tinham voltado à cozinha e limpado todos os vestígios da neve que deixaram ao entrar. Com os rostos ainda corados pelas horas de brincadeira ao ar livre e frio, os meninos se sentaram à mesa e devoraram os hambúrgueres e as batatas fritas que a mãe preparara especialmente para eles.

Missy fez a alegria da família com sua tagarelice sem sentido e ao roubar batatas do prato dos meninos, quando eles se distraíam. Quando era surpreendida, Missy virava o rosto para o irmão sabichão e, para desarmá-lo, lançava um sorriso cheio de dentes, exceto um.

Kathy sentia-se mais segura com George em casa. Seus temores tinham passado por ora e ela não pensou mais na última lufada de perfume que sentira mais cedo, naquela tarde. Talvez eu esteja ficando paranoica com essa coisa toda, refletiu. Ela olhou ao redor da mesa. A atmosfera harmoniosa com certeza não era prenúncio da visita de nenhum fantasma.

George varreu as deprimentes operações comerciais para os cantos mais fundos da mente, como se tivesse entrado em um pequeno casulo. Era assim que gostaria que a vida na casa nova fosse o tempo todo. O que quer que o mundo lá fora reservasse, os Lutz enfrentariam unidos, de dentro de casa. Ele e Kathy dividiram um bife e em seguida, acendendo um cigarro, George foi para a sala de estar com os meninos.

Após dar comida para Harry dentro de casa, George deixou o cachorro ficar para brincar com os filhos na frente da lareira. Como a família tinha jantado cedo, mal passava das 20h quando Danny e Chris começaram a bocejar.

Enquanto os garotos subiam a escada até o quarto, seguidos por Missy e Kathy, George levou Harry para o canil. Depois de atravessar a neve acumulada entre a porta da cozinha e o canil, George amarrou Harry à guia. Harry rastejou para dentro da casinha e deu várias voltas até encontrar a posição certa, antes de se acomodar com um leve suspiro. George ficou ali parado e logo viu o cachorro fechar os olhos e pegar no sono.

"Bom, está decidido", disse George. "Vou levar você ao veterinário no sábado."

Depois de colocar Missy na cama, Kathy voltou para a sala de estar. George fez a corriqueira vistoria pela casa, averiguando duas vezes todas as janelas e portas. Já tinha inspecionado as portas da garagem e do abrigo de barcos quando levou Harry para fora.

"Vamos ver o que vai acontecer esta noite", disse ele a Kathy, quando voltou a descer. "Não está ventando nem um pouco lá fora."

Por volta das 22h, George e Kathy estavam bocejando. O fogo estava se extinguindo, mas o calor irritava os olhos dos dois. Kathy esperou até George apagar as últimas brasas e jogar água em cima de algumas achas que ainda ardiam. Em seguida apagou as luzes e olhou em volta no escuro, à procura da mão do marido. Ela soltou um grito.

Kathy estava olhando para as janelas da sala de estar por cima do ombro de George. Lá havia um par de olhos vermelhos e vidrados, encarando!

Ao ouvir o grito da esposa, George se virou e também viu aqueles olhos brilhantes, voltados diretamente para ele. George correu para acionar o interruptor e os olhos desapareceram no reflexo cintilante na vidraça.

"Ei!", gritou George, disparando pela porta da frente e saindo para a neve lá fora.

As janelas da sala davam para a frente da casa. George não demorou mais de um ou dois segundos para chegar lá. Mas não havia nada diante das janelas.

"Kathy!", gritou. "Pegue minha lanterna!" George forçou a vista para enxergar os fundos da casa, à margem do rio Amityville.

Kathy saiu da casa com a lanterna e a jaqueta do marido. Sob as janelas onde tinham visto os olhos, eles examinaram a neve fresca e intacta. Até que o feixe amarelado da lanterna iluminou uma linha de pegadas, estendendo-se com nitidez até o canto da casa.

Aquela trilha não tinha sido deixada nem por homem, nem por mulher. As pegadas foram feitas por cascos fendidos — como os de um porco enorme.

AMITYVILLE
JAY ANSON

2 DE JANEIRO

14

Quando George saiu da casa na manhã seguinte, as marcas de cascos fendidos ainda estavam visíveis na neve congelada. As pegadas do animal passavam pelo canil de Harry e terminavam na entrada da garagem. George ficou sem palavras quando viu que a porta da garagem fora quase arrancada do batente de metal.

O próprio George fechara e trancara a pesada porta basculante. Arrancá-la do batente teria produzido uma tremenda barulheira, sem falar que exigiria uma força sobre-humana.

George ficou parado na neve, observando as pegadas e a porta destruída. Seus pensamentos voltaram para a manhã em que ele encontrara a porta da frente escancarada e para a noite em que vira o porco parado atrás de Missy, pela janela do quarto da menina. Ele se lembra de ter dito em voz alta: "O que diabos está acontecendo por aqui?", enquanto se espremia para passar pela porta retorcida e entrar na garagem.

Acendeu a luz e olhou em volta. A garagem ainda estava abarrotada, com a motocicleta, as bicicletas das crianças, um cortador de grama elétrico deixado pelos DeFeo, o antigo cortador a gasolina que ele trouxera de Deer Park, móveis de jardim, ferramentas, equipamentos e latas de tinta e óleo. O piso de concreto da garagem estava coberto por uma fina camada de neve, que penetrara pela porta entreaberta. Era evidente que a porta fora arrancada do batente muitas horas antes.

"Tem alguém aqui?", gritou George. Apenas o som do vento que ficava mais forte do lado de fora da garagem respondeu.

Quando George foi para o escritório em Syosset, estava mais bravo do que assustado. O medo do desconhecidologo passou quando começou a cogitar o preço para consertar a porta da garagem. Não sabia se a seguradora pagaria pelo conserto e ele não podia arcar com duzentos ou trezentos dólares de despesas extras.

George não se lembra de como dirigiu a van Ford ao longo das perigosas estradas cobertas de neve e gelo até Syosset. A frustração por não conseguir compreender sua onda de azar bloqueou qualquer preocupação relacionada com a segurança pessoal. No escritório, tratou de se ocupar com os problemas iminentes e, durante as horas seguintes, conseguiu afastar até os mais ínfimos pensamentos sobre o número 112 da Ocean Avenue.

Antes de sair de casa, George havia comentado com a esposa sobre a porta da garagem e as marcas na neve. Kathy tentara ligar para Joan, mas ninguém atendeu. Então ela se lembrou de que a mãe sempre fazia compras nas manhãs de sexta-feira, para evitar as filas das multidões que lotavam os supermercados aos sábados. Kathy subiu até o quarto de casal para pegar e trocar os lençóis de todas as camas da casa e passar o aspirador nos tapetes. A mente de Kathy se agitava com os detalhes de uma primeira faxina completa do lar. Se ela não se mantivesse completamente ocupada até o marido voltar, sabia que iria desmoronar.

Kathy tinha acabado de colocar fronhas limpas e estava afofando os travesseiros quando foi abraçada por trás. Ela congelou, então instintivamente perguntou: "Danny?".

O aperto em volta de sua cintura ficou mais intenso. Era mais forte do que o conhecido toque feminino experimentado na cozinha. Kathy sentiu que estava sendo segurada por um homem, que aumentava a pressão conforme ela resistia.

"Me solta, por favor!", soluçou.

A pressão afrouxou de repente, e Kathy sentiu aquelas mãos soltaram sua cintura e subiram até seus ombros. Devagar, seu corpo estava sendo virado para encarar a presença invisível.

Tomada pelo terror, Kathy se deu conta do fedor opressivo do mesmo perfume barato. Foi quando foi agarrada pelos pulsos por outro par de mãos. Kathy garante que sentiu uma disputa pelo controle de seu corpo, que de alguma maneira ficou presa entre duas forças poderosas. Escapar era impossível e ela sentiu que iria morrer. Como a pressão no corpo se tornou insuportável, ela desmaiou.

Quando voltou a si, Kathy estava deitada com metade do corpo para fora da cama, com a cabeça quase tocando o chão. Danny tinha ido até o quarto para ver o que a mãe queria, e Kathy teve certeza de que as presenças não estavam mais ali: ela não poderia ter ficado desmaiada por mais do que alguns instantes.

"Ligue para o papai no escritório, Danny! Depressa!"

Danny voltou alguns minutos depois.

"O homem que atendeu disse que o papai não está em Syosset. Acha que ele está vindo para cá."

George voltou para casa apenas no começo da tarde. Quando chegou a Amityville, entrou na Merrick Road e parou no Witches' Brew para tomar uma cerveja.

O bar da redondeza estava quente e vazio. A jukebox e a televisão estavam desligadas, e o único som ambiente era o do barman lavando os copos. Assim que George entrou, o homem ergueu o rosto e o reconheceu da primeira visita.

"Ei, cara! É bom ver você de novo!"

George balançou a cabeça e andou até o balcão.

"Uma Miller", pediu.

George observou enquanto o barman enchia um copo. Era um jovem rechonchudo e atarracado, na casa dos trinta anos, com uma barriga sugerindo que gostava de experimentar a cerveja que servia. George tomou um longo gole, esvaziando metade do copo, que colocou sobre o balcão de madeira escura.

"Me diz uma coisa." George arrotou. "Você conhecia os DeFeo?" O jovem tinha voltado a lavar os copos. Ele assentiu.

"Conhecia, sim. Por quê?"

"Estou morando na casa deles agora e..."

"Eu sei", interrompeu o barman. George levantou as sobrancelhas, surpreso. "Na primeira vez, você disse que tinha acabado de se mudar para o número 112 da Ocean. Essa é a casa dos DeFeo."

George acabou a cerveja.

"Eles costumavam vir aqui?"

O barman colocou um copo limpo sobre o balcão e enxugou as mãos em uma toalha.

"Só o Ronnie. Às vezes ele trazia a irmã, Dawn, que era uma gracinha." Pegou o copo vazio de George. "Sabe, você se parece muito com o Ronnie. A barba e tudo o mais. Só acho que você é mais velho do que ele."

"Ele alguma vez falou sobre a casa?"

O barman colocou outra cerveja diante de George.

"A casa?"

"Sabe como é, alguma vez ele comentou que algo esquisito estava acontecendo por lá? Coisas assim?" George tomou um gole.

"Você acha que tem alguma coisa errada com a casa? Quer dizer, depois dos assassinatos e tal?"

"Não, não." George levantou uma das mãos. "Só estava perguntando se ele disse alguma coisa antes da... hum... daquela noite."

O barman olhou ao redor do balcão, como se quisesse confirmar que não havia mais ninguém por perto.

"O Ronnie nunca disse nada do tipo para mim, pessoalmente." Ele se inclinou para mais perto de George. "Mas vou contar uma coisa para você. Eu estive lá uma vez. A família deu uma festança e o pai do Ronnie me contratou para cuidar da parte das bebidas."

George tinha tomado metade da segunda cerveja.

"O que você achou do lugar?"

O barman abriu os braços gordos para os lados.

"Grande. Uma casa bem grande. Mas não vi muita coisa, porque fiquei lá embaixo, no porão. A bebida correu solta naquela noite. Era o aniversário de casamento deles." Olhou em volta do balcão outra vez. "Você sabia que tem um quarto secreto lá embaixo?"

George fingiu não saber.

"Não! Onde?"

"Uh-huh", comentou o barman. "Dê uma olhada atrás daqueles armários e vai encontrar uma coisa que vai deixar você abalado pra valer."

George se inclinou sobre o balcão.

"O que é?"

"Um quarto, um quartinho. Eu encontrei naquela noite de trabalho no porão. Tem um armário de compensado montado do lado da escada. Eu usei para gelar a cerveja, sabe? Quando bati um barril no fundo do armário, deu a impressão de que a parede inteira estava solta. Sabe, um painel secreto, como em um filme antigo."

"E o quarto?", quis saber George.

O barman balançou a cabeça.

"Bom, quando bati no compensado, ele se abriu e eu consegui ver um espaço escuro atrás. A lâmpada não estava funcionando, então acendi um fósforo. Pode apostar, tinha um quartinho esquisito lá, todo pintado de vermelho."

"Você está de brincadeira", protestou George.

O barman pousou a mão direita sobre o coração.

"Juro por Deus, cara, pode acreditar. Você vai ver."

George terminou a segunda cerveja.

"Com certeza vou ter que procurar esse quarto", respondeu George, colocando um dólar em cima do balcão. "Isso é pelas cervejas." Acrescentou outra nota de um dólar. "Isso é para você."

"Ei, obrigado, cara!" O barman olhou para George. "Quer ouvir uma coisa muito doida sobre aquele quartinho? Eu costumava ter pesadelos com ele."

"Pesadelos? Como assim?"

"Ah, às vezes eu sonhava que desconhecidos estavam matando cachorros e porcos lá dentro e usando o sangue para algum tipo de cerimônia."

"Cachorros e *porcos*?"

"É." O barman gesticulou com as mãos, em sinal de aversão. "Acho que o lugar... com a tinta vermelha e tudo o mais... realmente mexeu comigo."

Quando George chegou em casa, ele e Kathy tinham muitas histórias para contar. Ela descreveu o acontecimento assustador no quarto de casal e ele relatou o que o barman do Witches' Brew contara sobre o quarto vermelho no porão. Os Lutz enfim se deram conta de que alguma coisa além de sua alçada estava acontecendo.

"Por favor, ligue para o padre Mancuso", implorou Kathy. "Peça a ele para voltar."

Como os superiores do padre Mancuso andavam preocupados com seu estado de saúde, fizeram uma visita para ver como ele estava. O padre Mancuso disse que estava se sentindo muito melhor naquela manhã. Os superiores decidiram revisar a carga de trabalho do padre. Muitos casos acumulados foram recolhidos e postos na maleta de um superior. Uma secretária datilografaria tudo. O padre Mancuso acompanhou os colegas até a saída e depois voltou para seus aposentos. O telefone estava tocando.

Ele continuava usando as macias luvas cirúrgicas de algodão que encontrara em uma gaveta. O padre tinha explicado ao bispo que era uma ótima maneira de proteger as mãos do frio, mas o motivo real era esconder as terríveis escoriações causadas pelas bolhas. O telefone do padre tocou cinco vezes antes que ele pudesse atender.

"Alô? Aqui é o padre Mancuso."

A voz do outro lado da linha chegou em alto e bom som.

"Padre. Aqui é o George!"

O sacerdote não conseguiu acreditar nos próprios ouvidos. Era como se George estivesse ali na sala com ele. O padre ficou tão surpreso que disse sem pensar: "George?".

"George Lutz. O marido da Kathy!"

"Ah, claro... Oi, como vocês estão?"

George afastou o fone do ouvido e olhou para Kathy, que estava parada ao seu lado, na cozinha. "O que será que ele tem?", sussurrou para ela. "Parece que não se lembra de mim."

É claro que o padre Mancuso sabia quem George era, mas ainda estava atordoado por conseguir falar com ele sem nenhum tipo de interferência na linha.

"Desculpe, George, não quis ser grosseiro. Só não estava pronto para uma ligação sua depois de todos os problemas que tive ao tentar falar com você."

"Sei bem, padre", respondeu George. "Entendo o que você quer dizer."

O padre Mancuso esperou George continuar, mas houve apenas silêncio.

"George? Você ainda está aí?"

"Sim, padre", respondeu George. "Estou aqui, com Kathy bem do meu lado." Olhou para a esposa. "Gostaríamos que você abençoasse a casa outra vez."

O padre Mancuso pensou em tudo que lhe acontecera na primeira vez que abençoara a casa dos Lutz. Olhou para as mãos protegidas pelas luvas brancas.

"Padre, você pode vir agora mesmo?"

O sacerdote hesitou. Ele não queria voltar lá, mas não podia dizer isso com todas as letras.

"Bem, George, não sei se posso ir agora", respondeu enfim, quebrando o silêncio. "Estou gripado de novo, sabe? O médico recomendou que eu não saísse nesse tempo frio e..."

"Entendo", interrompeu George. "E quando você *pode* vir?"

O padre Mancuso começou a procurar por uma saída para a situação.

"Por que você gostaria que eu abençoasse outra vez a casa? Não se faz isso assim, com um estalar dos dedos, sabe?"

George estava desesperado.

"Olhe, estamos devendo um jantar para você, padre. É só vir que a Kathy vai preparar o melhor bife que você já comeu. Então você pode passar a noite por aqui..."

"Oh, eu não poderia, George..."

"Bom, vamos deixar você tão bêbado que não terá escolha!"

O padre Mancuso não pôde acreditar no que tinha acabado de ouvir. Não se diz uma coisa dessas a um padre.

"Preste atenção, rapaz, você..."

"Padre, estamos com muitos problemas. Precisamos de sua ajuda."

A raiva do sacerdote desapareceu na mesma hora.

"Qual é o problema?", perguntou.

"Há coisas acontecendo nesta casa que não compreendemos. Vimos muitas..." A linha telefônica começou a chiar nas duas pontas.

"O que você disse, George? Não ouvi."

Não haveria mais conversa entre os dois homens. Já não havia nada para ouvir além da estática e de um zumbido alto. Como sabiam que não adiantava tentar mais nada, os dois homens desligaram.

George se virou para Kathy e olhou ao redor da cozinha.

"Começou outra vez. A ligação foi cortada."

Quando o padre Mancuso devolveu o fone ao gancho, suas mãos estavam ardendo de novo. "Que Deus me perdoe", disse em voz alta, "mas George vai ter que procurar a ajuda de outra pessoa. Não vou voltar para aquela casa de jeito nenhum!"

DE 2 A 3 DE JANEIRO

15

Desapontados por não terem conseguido convencer o padre Mancuso a fazer nova visita, George e Kathy conversaram sobre outras maneiras de conseguirem ajuda. Os dois concordavam que, agora que já tinham feito a mudança, seria inconveniente pedir que o pároco local de Amityville abençoasse a casa. Além disso, o pároco tinha sido o confessor dos DeFeo, e George se lembrava de ter lido nos jornais que era um homem idoso que considerava ridícula a ideia de que "vozes" na casa tinham dito a Ronnie o que fazer. Era um sujeito que não acreditava muito em fenômenos ocultos.

Em determinado momento, George chegou a cogitar vandalismo. Será que alguém estaria tentando dar um susto para que eles saíssem da casa, usando artimanhas violentas a fim de acelerar a partida? Kathy tinha outra opinião. Afinal de contas, quando contou que fora tocada por *alguma coisa*, será que George tinha pensando que era apenas fruto da imaginação? Não tinha. Será que ele conseguia explicar a terrível imagem marcada a fogo na parede de tijolos da lareira? Não conseguia. Será que eles tinham mesmo visto as pegadas de um porco na neve? Tinham. Será que ele concordava que havia uma poderosa força na casa que poderia machucar a família?

Concordava. Então, o que iriam fazer? Quando foram para a cama naquela noite, George disse a ela que decidira ir até o Departamento de Polícia de Amityville no dia seguinte.

Durante a noite do dia 2 de janeiro, George mais uma vez sentiu um ímpeto de verificar o abrigo de barcos e encontrou Harry dormindo na casinha de cachorro. Na manhã seguinte, levou o cão ao já conhecido hospital veterinário em Deer Park e pediu um exame completo. George pagou 35 dólares para descobrir que Harry estava bem e que não parecia dopado nem envenenado. O veterinário sugeriu que a lassidão do animal poderia ter sido causada por mudanças nos hábitos alimentares.

Na manhã do dia 2 de janeiro, o padre Mancuso abençoou a casa dos Lutz outra vez. Ele não realizou a bênção em Amityville, e sim na igreja e no presbitério de Long Island. Na igreja, o sacerdote realizou uma missa votiva, que não corresponde àquela estabelecida para o dia, mas é feita com uma intenção especial, à escolha do celebrante.

Depois de retirar as luvas, o padre Mancuso se ajoelhou no altar e abriu o missal. Começou: "Sou o salvador de todas as pessoas, diz o Senhor. Sejam lá quais forem os problemas, Eu atenderei às suas preces e serei sempre seu Senhor".

O sacerdote fez o sinal da cruz e leu em voz alta o capítulo de abertura da missa: "Deus nosso pai, nossa força na adversidade, nossa saúde na fraqueza, nosso conforto na tristeza, sede misericordioso com Vosso povo".

O padre Mancuso olhou para a figura na cruz. "Assim como nos destes a punição que merecemos, dai-nos também nova vida e esperança quando repousamos em Vossa bondade. Rogamos através de Cristo nosso Senhor."

Ele fechou o missal, porém manteve os olhos fixos na imagem de Jesus. "Senhor, olhai com bondade para os Lutz em seu sofrimento. Pela morte de Seu Filho, sede tolerante conosco, afastai deles Vossa raiva e a punição que eles merecem por seus pecados. Rogamos através de Cristo nosso Senhor. Amém."

Depois da missa votiva, o padre Mancuso voltou aos seus aposentos e se deparou com o nauseabundo odor de excremento humano impregnando os cômodos!

Sentiu ânsia de vômito, apesar disso conseguiu abrir todas as janelas. O ar gelado entrou, proporcionando um alívio momentâneo, mas logo o fedor subjugou até mesmo o ar frio. O padre Mancuso correu para o banheiro para ver se de alguma maneira a privada tinha transbordado, mas não havia nada errado — pelo menos não até ele tentar respirar!

O padre sabia que havia uma fossa sob o gramado frontal do presbitério e poços secos atrás do estacionamento. Ele chamou um funcionário da manutenção e juntos verificaram que nenhum animal tinha ficado preso nos poços e que a fossa estava em perfeitas condições. Não havia nenhum vazamento aparente no encanamento.

O padre Mancuso temia que o terrível fedor pudesse se espalhar por todo o presbitério. Outros padres poderiam ser forçados a deixar seus alojamentos e buscar abrigo no prédio escolar do outro lado do jardim, o que deixaria o pastor extremamente irritado com o incidente. O padre Mancuso decidiu afinal acender um incenso para dissipar o fedor nauseabundo.

Até aquele momento, o padre Mancuso não atribuíra a origem do cheiro aos próprios aposentos. Porém, depois de acender um incenso e ir para o prédio escolar com os demais, o sacerdote percebeu que seu apartamento fora o primeiro a ser atingido — evidentemente enquanto ele estivera celebrando a missa especial para os Lutz. Ele então fez a terrível conexão — a voz descarnada no número 112 da Ocean Avenue tinha dito: "Saia daqui!". Seja lá de quem fosse aquela voz, conseguira alcançar o presbitério para, de outra maneira, passar a mesma mensagem.

De repente, outra peça do quebra-cabeça que estivera tentando montar se encaixou, como o padre Mancuso percebeu quando parou diante das janelas do vestíbulo. Ao olhar para seu apartamento no presbitério, na outra extremidade do jardim, lembrou-se de uma das lições que aprendeu em demonologia: o odor de excremento humano estava sempre associado à aparição do Diabo!

Naquela tarde o sargento Lou Zammataro, do Departamento de Polícia de Amityville, acompanhou George até a Ocean Avenue, viu a porta da garagem destruída e as pegadas ainda visíveis de um animal na neve congelada, antes de entrar na casa, onde foi apresentado a Kathy e às crianças. Kathy repetiu a história dos toques que pareciam ser de uma presença fantasmagórica e levou o sargento à sala de estar, para mostrar a imagem marcada a fogo na parede da lareira.

Mesmo depois de mostrarem o quarto vermelho no porão, George e Kathy notaram o ceticismo de Zammataro. Ele ouviu a versão de George sobre o uso maligno do esconderijo e assentiu diante da menção de que Ronnie DeFeo devia ter mandado construir o quarto secreto, depois perguntou se os Lutz tinham algum fato concreto para embasar seus temores.

"Não posso trabalhar com hipóteses nem com o que vocês acham que viram ou ouviram. Talvez fosse melhor chamar um padre", sugeriu. "Parece mais o caso para um padre do que para um policial."

O sargento Lou Zammataro saiu da casa dos Lutz e entrou na viatura, ciente de que não contribuíra em nada. Só que realmente não podia fazer muito pelo jovem casal, exceto talvez mandar uma viatura passar por ali de vez em quando. Não teria adiantado nada assustá-los ainda mais, concluiu ao se afastar. Por que piorar as coisas mencionando que tinha sentido fortes vibrações, "um arrepio da cabeça aos pés", assim que voltou a colocar os pés no número 112 da Ocean Avenue?

Quando o sol se pôs, o cheiro fétido seguia impregnando o presbitério de Long Island, sem dar trégua. A densa fumaça que emanava do incenso irritava olhos e pulmões de todos que tinham entrado nos aposentos do padre Mancuso. Os visitantes já não podiam dizer se a náusea que sentiam estava ligada à fumaça ou ao odor original.

O padre Mancuso deixara as janelas abertas na esperança de que o ar frio acabasse expulsando o cheiro dos cômodos. Porém, a ideia foi um tiro que saiu pela culatra, porque o vento que entrava tinha apenas bloqueado a saída da fumaça e do fedor. O sacerdote chegou a pensar em dizer aos outros que sabia o que estava acontecendo e o porquê, mas decidiu manter segredo, rezando para ser poupado depressa daquela derradeira humilhação.

Logo depois que o sargento Zammataro foi embora, George notou que o compressor no abrigo de barcos tinha parado de funcionar. Não havia motivo para a máquina ter parado — a não ser que uma sobrecarga nos circuitos tivesse queimado um fusível. Isso significava que ele teria de descer ao porão da casa e examinar a caixa de fusíveis.

George sabia que a caixa de fusíveis ficava na área de armazenagem e levou uma caixa de fusíveis novos. No porão, encontrou e trocou depressa o fusível queimado. Ouviu o compressor ligar outra vez e fazer uma barulheira, mas esperou para ver se haveria outra sobrecarga. Depois de alguns instantes, satisfeito, começou a subir os degraus.

Quando chegou na metade da escada, George se deu conta do cheiro: não era óleo combustível.

Trouxera a lanterna, mas as luzes do porão continuavam acesas. De onde estava, George podia ver quase todo o porão. Fungou e então sentiu um odor putrefato, que vinha da área perto dos armários de compensado que escondiam o quarto secreto.

George voltou a descer os degraus e se aproximou dos armários, com cuidado. Quando parou diante das prateleiras que escondiam o quartinho, o odor ficou mais intenso. Prendendo o nariz, George forçou o painel e iluminou com a lanterna as paredes pintadas de vermelho.

O fedor de excremento humano era intenso no espaço confinado. O cheiro formava uma nuvem sufocante. Nauseado, George sentiu o estômago se revirar. Teve apenas tempo de puxar o painel de volta ao lugar e isolar aquela nuvem fétida antes de vomitar, sujando as roupas e o chão.

O padre Mancuso e o pastor do presbitério de Long Island eram amigos de longa data, desde que o padre ocupara um apartamento no presbitério. Mesmo com a pesada carga de trabalho e a movimentada agenda do padre Mancuso dentro da diocese, a amizade se consolidou e os dois padres se tornaram bons companheiros. Havia uma diferença de vinte anos entre os dois homens — o padre Mancuso estava com 42 anos — mas não havia uma diferença entre gerações.

Na noite do dia 3 de janeiro, a situação mudou. Abatido com o odor implacável e repugnante que impregnava seus aposentos, o padre Mancuso buscou a ajuda do pastor, e a amizade de tantos anos se quebrou de maneira irreversível.

Tudo começou no escritório do pastor, onde o padre Mancuso tinha ido buscar alguns relatórios que foram digitados para ele. Estava prestes a voltar aos seus aposentos quando o pastor entrou, ao lado de três outros padres. O padre Mancuso tinha acabado de jantar — mal tocara na comida, visto que não fora capaz de se livrar do cheiro que se prendia às suas roupas. Ele olhou para o pastor, parado ao lado de uma escrivaninha no outro extremo da sala.

"Não sei por que o fedor está apenas nos meus cômodos", vociferou. "Por que eu recebi essa honraria?"

O pastor ficou surpreso, sem conseguir acreditar no que acabara de ouvir. Tudo bem, ele está completamente irracional em virtude do incidente, relevou.

"Sinto muito", respondeu o pastor com delicadeza, "mas realmente não tenho uma explicação lógica."

O padre Mancuso descartou a resposta do pastor com um gesto de mão. Os outros padres estampavam uma expressão de assombro no rosto. O padre Mancuso nunca tinha falado naquele tom, sobretudo com o amigo íntimo. Agora estava com o rosto vermelho, de raiva.

"Por que vocês são tão generosos comigo, posso saber?"

Que bicho mordera o colega? O pastor fitou os outros sacerdotes, que evitavam seu olhar, envergonhados por estarem presenciando aquele ataque de raiva do padre. Então o pastor se manifestou.

"Acho que essa história do cheiro fétido está afetando seu juízo, meu amigo. Seria melhor conversar outra hora em outro lugar." Ele se levantou para sair da sala.

A resoluta calma do pastor desarmou o padre Mancuso, que recuou, sem deixar de encarar o amigo. Os olhos do pastor traíam uma estranha expressão que tinha origem em alguém ou em alguma coisa que se manifestara no corpo do colega. Essa sensação tinha dominado por alguns instantes o padre Mancuso, assim como algo dominara — e corrompera — seu apartamento no presbitério.

George enfim conseguira se limpar depois do desastroso episódio no porão. Ele e Kathy estavam sentados na cozinha, tomando café. Já passava das 23h, e os dois estavam esgotados pela tensão dos incidentes que vinham acontecendo com frequência cada vez maior. Apenas a cozinha parecia relativamente segura, e o casal se sentia relutante em ir para a cama.

"Olha, está ficando frio aqui", disse George. "Vamos pelo menos para a sala de estar, que está mais quente." Ele se levantou, mas Kathy permaneceu sentada.

"O que vamos fazer?", perguntou ela. "As coisas estão piorando, e tenho muito medo de que algo aconteça com as crianças." Kathy olhou para o marido. "Só Deus sabe o que mais pode acontecer por aqui."

"Olha, é só manter as crianças longe do porão até eu colocar um ventilador lá embaixo", respondeu ele. "Depois vou levantar uma parede de tijolos para lacrar a porta daquele quarto. Assim a gente nunca mais vai se incomodar com ele." Segurou o braço de Kathy, fazendo a esposa se levantar da cadeira. "Também quero falar com o Eric lá do escritório. Ele vive dizendo que a namorada tem bastante experiência em investigar casas assombradas e..."

"Casas assombradas?", interrompeu Kathy. "Você acha que esta casa é assombrada? Pelo quê?" Ela seguiu o marido em direção à sala de estar, depois parou no corredor. "Acabei de pensar em uma coisa, George. Será que a nossa meditação transcendental teve alguma a coisa a ver com tudo isso? O que você acha?"

George balançou a cabeça.

"Não, acho que não. De qualquer maneira, só sei de uma coisa: temos que procurar ajuda em algum lugar. Pode até ser..."

As palavras de George foram interrompidas por um grito de Kathy, assim que os dois entraram na sala de estar. Ele olhou para onde a esposa estava apontando. O leão de cerâmica que George tinha levado para a sala de costura estava na mesa ao lado da poltrona de Kathy, com a boca aberta e os dentes à mostra para o casal!

AMITYVILLE
JAY ANSON

DE 4 A 5 DE JANEIRO

16

George apanhou o leão de cima da mesa e jogou na lixeira do lado de fora da casa. Demorou um pouco para acalmar Kathy, porque não conseguia encontrar uma explicação plausível para o retorno da peça de porcelana para a sala de estar. Depois de insistir que alguma coisa na casa fora responsável por aquilo, Kathy disse não queria passar nem mais um minuto no número 112 da Ocean Avenue.

George então admitiu que também estava apreensivo com o ressurgimento súbito do leão. Só não concordava em fugir sem antes lutar.

"Como é possível lutar contra algo que não se pode ver?", perguntou Kathy. "Essa... essa coisa pode fazer o que quiser."

"Não, querida", respondeu George. "Ninguém vai me convencer de que muitas dessas coisas não passam de frutos da nossa imaginação. Eu não acredito em fantasmas! De jeito nenhum, de maneira nenhuma! Ponto final!" Ele enfim convenceu a esposa a ir para a cama, após prometer que, se não conseguisse ajuda no dia seguinte, eles ficariam longe da casa por algum tempo.

Os dois estavam completamente esgotados. Kathy adormeceu vencida pelo cansaço. Já George só cochilou, acordando atordoado de vez em quando, tentando ouvir qualquer ruído anormal dentro da casa. Ele afirma que não faz ideia de quanto tempo ficou deitado antes de ouvir a música de marcha militar no andar de baixo!

Por um momento sua mente acompanhou as batidas dos tambores, até que ele percebeu que estava ouvindo música. Ao olhar para o lado com a intenção de conferir se Kathy também tinha acordado, ouviu a respiração profunda: a esposa dormia como pedra.

George saiu em disparada até o corredor e percebeu que a batida de pés em marcha estava mais alta. Deve ter pelo menos uns cinquenta músicos desfilando pelo primeiro andar, pensou. Porém, assim que chegou ao último degrau e acendeu a luz da sala, os sons cessaram.

George ficou parado na escada, os olhos e a cabeça girando freneticamente à procura de qualquer sinal de movimento. Não havia absolutamente ninguém ali. Era como se ele tivesse entrado em uma câmara de ecos. Após a cacofonia de ruídos, o repentino silêncio fez um calafrio subir por sua espinha.

Foi quando George ouviu uma respiração pesada e achou que alguém estivesse bem atrás. Ele se virou: não havia ninguém e ele percebeu que estava ouvindo a respiração de Kathy lá de cima.

O temor de ter deixado a esposa sozinha no quarto tirou George do estado de apatia. Ele subiu correndo a escada, avançando de dois em dois degraus, e entrou no quarto, acendendo a luz. Ali, flutuando sessenta centímetros acima da cama, estava Kathy, que se afastava dele devagar, na direção das janelas!

"Kathy!", gritou George, pulando sobre a cama para agarrar a esposa. Embora ela estivesse tão rígida quanto uma tábua, ele conseguiu interromper o movimento. George sentiu resistência ao puxar, mas depois houve uma liberação súbita de pressão, e os dois desabaram no chão, com um estrondo. A queda acordou Kathy.

Quando viu onde estava, ela agiu sem coerência por alguns instantes. "Onde estou?", gritou. "O que aconteceu?"

George a ajudou a se levantar. Ela mal podia ficar de pé. "Não foi nada", tranquilizou ele. "Você estava sonhando e caiu da cama. Só isso."

Kathy ainda estava atordoada demais para questionar George. Ela disse "Oh!", e obedientemente voltou para cama, adormecendo outra vez no mesmo instante.

George apagou a luz do quarto, mas não voltou a se deitar ao lado da esposa. Sentou-se em uma poltrona ao lado das janelas, vigiando o sono de Kathy e olhando para o céu, que clareava com a luz da alvorada.

O padre Mancuso também contemplava o amanhecer de um novo dia — da casa da mãe em Nassau, para onde tinha ido logo depois da discussão com o pastor. Não que temesse um novo ataque de raiva, mas era impossível dormir em seu apartamento impregnado pelo odor fétido e pela fumaça de incenso. Além disso, ele agora acreditava que era mesmo alvo de um fenômeno demoníaco e achava que o fedor se dissiparia caso se afastasse do presbitério por um tempo.

A princípio, o padre Mancuso hesitou em ficar na casa da mãe porque não queria envolvê-la em seus problemas. Porém, como voltara a se sentir febril, decidira que, se fosse para adoecer outra vez, seria melhor ficar sob os cuidados maternos.

Ele dormira pouco e acordara alguns minutos antes do alvorecer. Sentiu que as palmas estavam coçando e olhou para as mãos a fim de examinar os dois lados. Cogitou conversar sobre o problema com a mãe, mas não queria dar ainda mais preocupação para ela, que já estava profundamente transtornada com a sua doença.

O céu estava enfeitado com longas faixas de nuvens brancas. O padre Mancuso percebeu que elas estavam baixas e se moviam depressa. Com a frente fria ainda beirando os 10°C negativos, isso poderia significar mais neve. Ele se afastou da janela e olhou para o relógio sobre a mesinha de cabeceira: eram apenas 7h.

Sentiu vontade de ligar para George Lutz, para descobrir se a missa provocara alguma reação semelhante na casa da Ocean Avenue. Mas não era uma boa ideia, pois 7h poderia ser muito cedo. O padre Mancuso decidiu esperar um pouco e voltou para a cama.

Estava agradável e quente sob as cobertas. Meio dormindo, ele ouviu a mãe se movimentando pela cozinha e de repente voltou a ter 10 anos, esperando que a mãe o acordasse para ir à escola. As dores, as aflições e as humilhações recentes abandonaram a mente e o corpo. O padre Mancuso estava dormindo em segurança em sua antiga cama na casa da mamãe.

Por volta das 10h, Kathy ainda dormia a sono solto. George ficara preocupado com o estado de saúde da esposa, depois da experiência aterrorizante da noite anterior, e decidiu que não podia mais esperar. Precisava ligar de novo para o padre Mancuso.

Danny e Chris contaram ao pai que ouviram no rádio que as escolas de Amityville estavam fechadas por um problema com o aquecimento. Os meninos ficaram um pouco desapontados, já que aquele teria sido o primeiro dia na escola nova depois das festas de fim de ano e uma chance para novas amizades.

George achou que deu sorte por não ter que levar os meninos à escola, que ficava do outro lado da cidade. Além disso, não queria deixar Kathy e Missy sozinhas na casa. Preparou o café da manhã das crianças e depois pediu que fossem brincar no quarto. Em seguida, foi ver como Kathy estava.

O rosto dela estava pálido, contraído, com sulcos profundos ao redor da boca. Como George não quis acordá-la, voltou à cozinha. Quando viu que eram 11h, decidiu ligar para o padre.

Quando discou o número do padre Mancuso, ninguém atendeu. George ligou para o número do presbitério e foi informado de que o padre Mancuso estava visitando a mãe. Não, eles não podiam passar o número dela, mas avisariam o padre Mancuso que George tinha ligado.

George ficou sentado na cozinha o restante da manhã, esperando o sacerdote retornar a ligação. Achou que tinha agido como um tolo ao se gabar que não acreditava em fantasmas. Kathy estava certa: como diabos é *possível* lutar contra algo que pode levantar alguém da cama como se não passasse de um pedaço de pau? George Lutz, ex-fuzileiro naval, admitiu que estava com medo.

Kathy desceu para a cozinha no exato momento em que o telefone tocou. Era alguém do escritório de George, ligando para perguntar quando ele daria uma passada lá. A visita do auditor da Receita Federal estava para acontecer e eles não sabiam como George queria lidar com a situação. George se sentiu desconfortável, então pediu ao funcionário para que ele ligasse para o contador a fim de adiar a reunião para a semana seguinte. Disse que passaria no escritório quando fosse possível, mas que no momento Kathy não estava se sentindo bem e que estavam esperando o médico.

Kathy sentou-se ao lado de George à mesa da cozinha e lançou um olhar significativo para o marido. Ela formou a palavra "médico". George balançou a cabeça para ela e em seguida encerrou a ligação, dizendo que retornaria o telefonema mais tarde.

"Minha nossa, eles estão ficando fartos de mim!", comentou com Kathy. "Vou ter que dar uma passada no escritório amanhã."

Kathy bocejou diante de George e se espreguiçou, tentando aliviar a rigidez no corpo.

"Deus, olhe só que horas são!", espantou-se ela. "Por que você me deixou dormir tanto? As crianças já tomaram café? Os meninos foram para a escola?"

George começou a contar nos dedos.

"Primeiro, como você não dormia tão bem assim há semanas, deixei você descansar até mais tarde", respondeu. Levantou dois dedos. "Segundo, eles tomaram o café da manhã." Três dedos: "Terceiro, não teve aula hoje. Mandei eles subirem para brincar com a Missy".

Ótimo, pensou, Kathy não se lembra de nada do que aconteceu na noite passada. E eu não vou contar para ela.

"Tentei falar com o padre Mancuso outra vez", prosseguiu George. "Disseram que ele está na casa da mãe, mas que vai retornar a ligação assim que passarem o recado."

A mãe do padre Mancuso não perturbou o merecido descanso do filho até quase as 15h. O padre sabia que a febre tinha abaixado porque não sentia mais tontura. Também ficou satisfeito quando enfim tomou coragem de ligar para o presbitério: o padre que atendeu o telefone disse que o incenso dera conta dos horríveis odores e que, se ele quisesse, já poderia voltar ao seu alojamento.

"Por sinal, padre, George Lutz ligou."

Ah, sim, eu pretendia ligar para ele, lembrou, mas esqueci completamente. Depois de dizer ao colega que voltaria naquela noite, o padre Mancuso ligou para George.

O telefone foi atendido ao primeiro toque.

"George? Aqui é o padre Mancuso."

"Padre, como estou feliz que você tenha retornado a ligação. Precisamos conversar com você o quanto antes. Você pode vir para cá agora?

"Mas eu já abençoei sua casa duas vezes", respondeu o padre Mancuso. "Celebrei uma missa votiva para você na igreja há poucos dias. A propósito, alguma coisa..."

"Não é para abençoar a casa", interrompeu George. "Agora é mais do que isso." Durante os minutos seguintes, George contou o que acontecera no número 112 da Ocean Avenue desde a mudança. Ele pediu que Kathy subisse para pegar seus cigarros e, então, revelou ao padre sobre a levitação da esposa. "Por tudo isso precisamos de você, padre", concluiu George. "Estou com medo do que pode acontecer com Kathy e com as crianças!"

Enquanto George falava, o padre Mancuso temia sofrer um novo ataque debilitante. Em seguida sentiu vergonha ao se dar conta de que estivera evitando o inevitável. Vamos lá, homem, você é um padre, pensou. Se não quero usar o colarinho e arcar com as responsabilidades... então, por Deus, não mereço essa batina!

O padre Mancuso respirou fundo.

"Tudo bem, George. Vou tentar dar uma passadinha aí..."

Ele não conseguiu ouvir o que o padre Mancuso disse na sequência. De repente, a linha se encheu de muitos ruídos que pareciam lamentos e então houve um estalido que quase estourou o tímpano de George.

"Padre! Não estou ouvindo você!" Um lamento contínuo foi a única resposta para George.

Do outro lado da linha, o padre Mancuso sentiu como se tivesse sido atingido no rosto. Colocou o fone no gancho, levou a mão às faces e começou a chorar.

"Estou com medo de voltar para lá!" Olhou para as palmas doloridas e então enterrou o rosto nelas. "Oh, Deus! Me ajude! Me ajude!"

George sabia que era inútil esperar que o padre Mancuso ligasse outra vez. Mesmo que isso acontecesse, eles não conseguiriam conversar a respeito da casa. Só que George alimentava uma esperança: tinha certeza de que ouvira o padre mencionar que faria uma visita, mas não sabia quando. Teria apenas que ficar sentado e esperar.

O padre Mancuso voltou ao presbitério depois das 20h. Agora eram quase 22h e ele estava sentado, encarando o telefone. O fedor de excremento nos aposentos se dissipara como informado, mas o forte cheiro de incenso ainda perdurava no ar. Isso ele podia tolerar. O que não era o caso em relação à sua relutância de ir à casa dos Lutz. Nem mesmo a ideia de que as crianças poderiam estar correndo perigo pela presença demoníaca conseguiu vencer seu medo do que poderia estar à sua espera no número 112 da Ocean Avenue.

Por fim, o padre Mancuso decidiu ligar para a Chancelaria da diocese. Chegou a pegar o telefone, mas acabou decidindo fazer uma visita pessoal na manhã seguinte. Ele então resolveu se recolher. Dormira o suficiente naquela manhã na casa da mãe, mas se sentia exausto de novo. Antes de vestir o pijama, foi ao banheiro para retirar as luvas brancas. A Solução de Burow tinha ajudado a diminuir a dor, e ele queria deixar as palmas de molho mais uma vez naquela noite.

Quanto retirou as luvas, levou um susto. Virou as mãos e examinou as palmas. Não havia mais manchas desagradáveis ou feridas abertas. Não havia mais sinal de sangramento. As bolhas tinham sumido!

Kathy não voltara a agir com naturalidade durante aquele dia e aquela noite. Ela passou o tempo todo sentada perto da lareira, na sala de estar. George se encarregou de preparar a comida para as crianças e depois mandou cada um para a cama. Os meninos não reclamaram da hora porque sabiam que precisavam acordar cedo para a escola. Ficou claro que o problema com o aquecimento tinha sido resolvido, já que a estação de rádio local anunciara que as escolas abririam normalmente na manhã seguinte.

George chegou inclusive a ajudar Missy a tomar banho e leu uma história para a filha antes de apagar a luz do quarto. As últimas palavras que ela disse antes de George fechar a porta foram: "Boa noite, papai. Boa noite, Jodie".

Quando notou que eram quase 23h, George se deu conta de que o padre Mancuso não faria a visita naquela noite. Kathy tinha cochilado na poltrona durante a última meia hora, acalentada pelo calor do fogo. Por fim, anunciou a George que estava indo para a cama.

George olhou para a esposa, que não mencionara nem sequer uma vez ir embora da casa. Era como se nenhum dos aterrorizantes incidentes tivesse ocorrido e fosse algo natural se recolher. Eles subiram juntos para o quarto.

Kathy balbuciou que estava com sono demais para tomar um banho e deixaria para a manhã seguinte. Ela adormeceu assim que encostou a cabeça no travesseiro. George se sentou na beirada da cama por alguns instantes, observando a respiração profunda de Kathy, antes de sair para dar uma olhada em Harry. O cachorro estava dormindo de novo e não tinha tocado na comida.

George estava prestes a estender a mão para acordar o animal quando, então, ouviu a banda de marcha militar começar a tocar dentro da casa. Disparou de volta pela cozinha. Os tambores e as trompas estrondeavam na sala de estar, e ele ouvia a batida de muitos pés à medida que corria pelo corredor.

As luzes ainda estavam acesas, mas George podia ver que não havia ninguém na sala. No exato momento em que foi capaz de lançar um olhar pelo interior da sala, a música foi interrompida. George olhou em volta, descontrolado.

"Onde é que vocês estão, filhos da puta?", gritou.

George estava arfando. Só então percebeu que havia alguma coisa estranha na sala de estar. Todos os móveis tinham sido movidos. O tapete fora enrolado. As poltronas, o sofá e as mesas foram empurradas contra as paredes, como se para abrir espaço para muitos dançarinos — ou para uma banda militar!

AMITYVILLE
JAY ANSON

6 DE JANEIRO

17

"Sua história é muito interessante, Frank. Agora, sinceramente, se eu não conhecesse seu histórico profissional, eu acharia que você não está batendo muito bem da cabeça por acreditar nessas coisas." O chanceler Ryan se levantou de trás de sua mesa e andou até a cafeteira nova, no outro lado da sala. Balançando a cabeça, o padre Mancuso recusou a proposta de Ryan, que então serviu uma xícara de café para o padre Nuncio — o outro chanceler — e outra para si.

O chanceler voltou a se sentar atrás da mesa, tomou um gole de café, depois olhou para suas anotações.

"Em seu trabalho como psicoterapeuta, quantas vezes as pessoas vieram até você com histórias iguais a essa? Centenas, aposto."

O chanceler Ryan era um homem muito alto, mesmo sentado. Era irlandês, tinha 1,96 metro de altura e uma cabeleira grisalha, que rodeava seu rosto corado. O padre era bem conhecido na diocese por sua franqueza ao conversar com outros clérigos, fossem eles jovens párocos ou o próprio bispo.

Já o chanceler Nuncio era o oposto. Baixo, atarracado, cabelo preto e mais moço que o colega: tinha 42 anos, ao passo que o padre Ryan já passava dos 60. Sua abordagem era seca, o que completava com perfeição o toque mais suave do outro chanceler.

Os dois tinham ouvido o padre Mancuso falar sobre os episódios que George Lutz jurava ter presenciado no número 112 da Ocean Avenue e sobre suas próprias experiências vexatórias, incluindo a mais recente, que tinha acabado de acontecer no presbitério. Ficaram impressionados ao constatar que o padre Mancuso temia que tais fenômenos tivessem o dedo do demônio.

O chanceler Ryan desviou os olhos do bloco de anotações sobre a mesa e falou com o padre, preocupado.

"Antes de qualquer sugestão nossa a respeito de como você deve lidar com a situação sendo correligionário e padre, Frank, acho que você deveria conhecer os preceitos básicos." O padre Ryan assentiu para o padre Nuncio.

O outro sacerdote pousou a xícara sobre a mesa. "Pelo que contou, parece que você acredita que existe alguma coisa demoníaca acontecendo na casa dos Lutz, que o lugar está de alguma maneira possuído. Bem, em primeiro lugar, gostaria de assegurar que *lugares* e *objetos* nunca são possuídos. Apenas pessoas." O padre Nuncio fez uma pausa, enfiou a mão no bolso da jaqueta e retirou diversos charutos curtos, que ofereceu, mas os dois sacerdotes recusaram. Ele acendeu um, soltando uma baforada e falando ao mesmo tempo. "O ponto de vista tradicional da Igreja vê o diabo de inúmeras maneiras: ele provoca através da *tentação*, levando os homens para o pecado em batalhas psicológicas que sei que você conhece bem."

"Ah, sim", assentiu o padre Mancuso. "Como o padre Ryan mencionou, já vi e ouvi muitas pessoas que me procuraram como psicoterapeuta e pároco."

O chanceler Ryan retomou a palavra. "Então existem as chamadas atividades extraordinárias do diabo neste mundo, que costumam afetar objetos ao redor da pessoa. Talvez você esteja enfrentando isso, que chamamos de *infestação*. Ela se divide em diferentes categorias que logo iremos explicar."

"*Obsessão* é o passo seguinte", disse o padre Nuncio. "Nesse caso, a pessoa é afetada interna ou externamente. Por fim, temos a *possessão*, que leva a pessoa a perder o controle temporário das faculdades. Em uma situação dessas, o diabo age dentro e através da pessoa."

Quando chegara no horário marcado à Chancelaria, o padre Mancuso estava um pouco envergonhado e sem saber ao certo como apresentar seu problema. No entanto, logo relaxou ao perceber que os dois padres demonstravam grande interesse. Agora que mostravam as diretrizes que deveria seguir nesse tipo de situação, o padre Mancuso sentiu a esperança de se libertar daquele mal.

"Nas investigações de casos de possíveis interferências diabólicas, devemos considerar cinco hipóteses", prosseguiu o chanceler Ryan. "Primeira: fraude e ardil. Segunda, causas científicas naturais. Terceira, causas parapsicológicas. Quarta, influências diabólicas. E quinta: milagres.

"No caso em questão, fraude e ardil não parecem plausíveis. George e Kathleen Lutz parecem indivíduos normais e equilibrados. Acreditamos que você também seja. As hipóteses ficam então reduzidas a causas psicológicas, a causas parapsicológicas ou a influências diabólicas."

"Excluímos de saída o milagroso", interveio o padre Nuncio, "porque o Divino não iria se envolver com o trivial e o insignificante."

"Verdade", concordou o padre Ryan. "Logo, a explicação parece incluir alucinação e autossugestão: como os toques invisíveis que Kathy sentiu e a banda de marcha militar que George pensou ter ouvido. Mas vamos tomar a linha parapsicológica.

"Parapsicólogos como o dr. Rhine, que trabalha na Duke University em Durham, Carolina do Norte, definem essa ciência em quatro categorias principais. Sob o título geral de percepção extrassensorial são encontradas as três primeiras: a telepatia mental, a clarividência e a precognição, que podem explicar as visões de George e a 'captação' de informações que parecem coincidir com os fatos conhecidos sobre os DeFeo. A quarta área parapsicológica é a psicocinese, quando objetos se movem sozinhos. Esse seria o caso do leão de cerâmica dos Lutz... caso ele tenha se mexido *mesmo*", acrescentou.

O padre Nuncio se levantou para se servir de mais café.

"Tudo o que falamos, Frank, faz parte da sugestão que temos para os Lutz. Peça que a família entre em contato com alguma organização investigativa como a do dr. Rhine, para que especialistas possam examinar a casa. Eles farão diversos testes e tenho certeza de que acabarão chegando a uma conclusão que não seja influência diabólica."

"Mas e eu?", perguntou o padre Mancuso. "O que *eu* faço?"

O chanceler Ryan pigarreou e lançou para o padre um olhar de simpatia.

"Você não deve voltar para aquela casa. Pode ligar para os Lutz e contar sobre nossa sugestão. Mas não volte lá em hipótese alguma."

"Pensei que você tivesse dito que eu não deveria levar em consideração crenças como essas", protestou o padre Mancuso.

"Sim, é verdade", respondeu o padre Ryan. "Mas você ficou tão agitado com toda essa história que, por enquanto, a melhor coisa a fazer é se afastar dos Lutz e da casa de número 112 da Ocean Avenue."

Depois do café da manhã, Kathy deixou os meninos na escola nova, em seguida foi até a casa da mãe de carro, levando Missy. George ficou sozinho em casa e desceu ao porão com dois ventiladores, para espantar o fedor. Porém, quando desceu as escadas, não havia nenhum vestígio do odor pútrido que provocara seu vômito no dia anterior.

Ele fungou por todos os cantos, mas não detectou nada, nem sequer quando foi direto para o quarto vermelho secreto. George puxou o painel de compensado e iluminou as paredes vermelhas com o feixe da lanterna. "Droga!", esbravejou. "Não pode ter desaparecido do nada. Deve ter um respiradouro em algum lugar."

George estava procurando essa possível saída de ar quando o padre Mancuso ligou. Depois do encontro na Chancelaria, o sacerdote voltara ao seu apartamento no presbitério, desejando passar as recomendações dos superiores para George. Ele ouviu o telefone tocar dez vezes antes de desligar. O padre Mancuso pensou em tentar de novo mais tarde, quando os Lutz voltassem.

George estava em casa, claro, mas não chegou a ouvir o telefone tocar. Apesar disso, a porta do porão estava aberta e normalmente o toque do telefone podia ser ouvido em qualquer lugar da casa.

George não conseguiu encontrar uma abertura por onde o fedor pudesse ter escapado, mas descobriu algo interessante embaixo da área onde os degraus da frente da casa foram construídos. No momento da fundação da casa de número 112 da Ocean Avenue, parece que uma abertura circular foi coberta com uma tampa de concreto. Enquanto remexia em volta da terra acumulada contra essa protuberância, George sem querer soltou um pouco do antigo cascalho em volta da base e ouviu as pedrinhas caírem na água lá embaixo. Assim que pegou a lanterna, o feixe de luz iluminou um fosso úmido e escuro. "Um poço!", disse em voz alta. "Isso não aparece nas plantas. Devia pertencer à antiga casa que ficava aqui."

Ele voltou ao primeiro andar e olhou para o relógio da cozinha. Estranho, pensou, é quase meio-dia e ainda não tive notícias do padre. Acho que é melhor tentar ligar para ele.

George ligou para o presbitério. O padre atendeu ao primeiro toque. George ficou surpreso quando o padre Mancuso comentou que tinha acabado de ligar, mas que ninguém havia atendido. Logo que George perguntou quando o padre Mancuso faria a visita, o sacerdote começou o seu relato.

O padre Mancuso contou que visitara os chanceleres da diocese e repassou a recomendação de que George procurasse uma organização para iniciar uma investigação científica em toda a casa. O padre também passou o endereço do Instituto de Pesquisas Psíquicas da Carolina do Norte e sugeriu que George entrasse em contato com a instituição o quanto antes. George concordou, mas insistiu que o padre fizesse outra visita.

Só muitos meses depois que a família Lutz fugiu do número 112 da Ocean Avenue, George descobriu as provações pelas quais passara o padre Mancuso ao abençoar pela primeira vez a casa, assim como suas humilhações e aflições subsequentes. Por isso, quando o padre Mancuso recusou a visita outra vez, George ficou confuso. Insistiu que precisava muito de um padre, não de um grupinho de caça-fantasmas de algum lugar do sul. "E quem pagaria por tudo isso?", ele quis saber. No entanto, antes de desligar, George prometeu que ligaria para os parapsicólogos e contaria para o padre Mancuso os resultados da investigação.

Ainda estava irritado quando ligou para a casa da sogra, para falar com Kathy. Contou para a esposa o que o padre dissera, mas resmungou que não se daria o trabalho de fazer nada do tipo. Como Kathy sentia que eles deveriam seguir as recomendações dos chanceleres, aconselhou o marido a dar ouvidos às sugestões da Igreja.

No fim das contas, George cedeu, dizendo que iria ao escritório em sua Harley Davidson e escreveria uma carta aos especialistas da Duke University. Não mencionou à esposa que também pretendia conversar com Eric, o jovem colega do escritório que comentou que sua namorada era médium.

Depois de conversar com George, o padre Mancuso sentiu como se tirasse um tremendo peso dos ombros. Só por ter dividido seu fardo com outras pessoas, sentiu a mente completamente leve pela primeira vez em semanas: a responsabilidade que carregava sozinho fora retirada por seus superiores.

O sacerdote se dedicou a preparar a agenda de trabalho para a semana seguinte. Levou horas a fio — até o jantar — para conseguir contemplar o cronograma que queria estabelecer para seu trabalho de aconselhamento e para seus pacientes. Pediu comida chinesa de um restaurante ali perto e devorou a refeição enquanto lia as fichas de pacientes.

George chegou ao escritório e postou a carta para os parapsicólogos, usando os nomes dos chanceleres como referência. Como não esperava uma resposta imediata para seu pedido de investigação, colocou apenas um selo comum no envelope, e não um selo de via aérea. Em seguida ligou para a namorada de Eric, Francine, que ficou muito interessada no que ele tinha a dizer.

Se ela poderia contatar o que — ou quem — estava transformando a vida do casal em um pesadelo? Claro que sim. Ela prometeu ir à casa dos Lutz com o namorado em um ou dois dias.

Pouco depois a jovem disse algo que deixou George de orelha em pé. De repente, ela mencionou que ele deveria procurar um poço antigo e abandonado, tampado ao redor da propriedade. Ele não revelou que já tinha encontrado um lugar assim e perguntou *por que* deveria fazer uma busca dessas.

A resposta de Francine chocou: "Acredito que seus espíritos podem estar saindo pelo poço", respondeu ela. "Você pode até cobrir, sabe, mas aposto que, se você encontrar mesmo um poço embaixo da casa, existe uma passagem direta para dentro dele. Por mais que seja apenas uma rachadura minúscula, eles só precisam disso. Assim 'eles' podem sair quando quiserem."

Depois de agradecer e desligar o telefone, George ligou para o Instituto de Pesquisas Psíquicas em Durham, Carolina do Norte, e contou sobre a carta que tinha acabado de enviar. Eles concordaram em mandar um investigador de campo assim que possível, e George concordou em pagar os honorários do especialista.

O padre Mancuso também recebeu uma ligação naquela noite, feita depois das 23h. Para sua surpresa, era o padre que o ajudara quando seu carro enguiçou na Van Wyck Expressway.

Os dois clérigos relembraram os acontecimentos perturbadores daquela noite, e o padre Mancuso perguntou ao colega se ele passara por novas dores de cabeça depois que os limpadores de para-brisas apresentaram problemas.

"Não", respondeu o amigo. "Quer dizer, não até alguns minutos atrás." O coração do padre Mancuso começou a bater forte no peito.

"Frank", prosseguiu o outro padre, "acabei de receber um telefonema muito estranho. Não sei quem era, mas uma voz disse: 'Diga ao padre para não voltar'."

"De quem estava falando?", perguntou o padre Mancuso.

"Pois é, fiz a mesma pergunta: 'De quem você está falando?'. A voz se limitou a responder: 'Do padre que você ajudou'."

"Do padre que você ajudou?"

"É. Pensei sobre isso assim que a ligação foi cortada e não consegui lembrar de ninguém além de você. Será que ele realmente se referiu a você, Frank?"

"Ele não chegou a dizer quem era?"

"Não. Ele só disse: 'O padre vai saber quem eu sou'."

"O que ele disse exatamente?"

"Ele disse: 'Diga ao padre para não voltar ou ele vai morrer!'."

AMITYVILLE
JAY ANSON

DE 6 A 7 DE JANEIRO

18

Mais cedo naquele dia, Kathy voltara da casa da mãe e pegara Danny e Chris na nova escola em Amityville. Os meninos estavam ansiosos para contar as novidades sobre os professores, os colegas e o que fizeram no recreio. Toda a neve do pátio fora retirada, e as crianças puderam aproveitar algumas atividades ao ar livre. Missy, com inveja por ter que ficar em casa, passou o tempo todo perguntando aos irmãos sobre as meninas do ensino fundamental.

A família reunida jantou às 18h30. George contou a Kathy sobre as providências tomadas a respeito da sugestão do padre Mancuso e também mencionou a conversa com a médium. Kathy ficou contente por ele ter ligado para a equipe de parapsicologia, em vez de ficar de braços cruzados, esperando uma resposta à carta enviada. Porém, não ficou muito feliz com a ideia de receber em casa uma estranha que conversava com fantasmas — sobretudo uma tão jovem como Francine.

Depois da janta, Kathy comentou com George que gostaria muito de voltar à casa da mãe até sentir que a casa deles era segura. George lembrou a esposa que estava 12°C abaixo de zero lá fora e que a previsão para a manhã era de neve. Embora East Babylon não ficasse muito longe, ele achava que ela não conseguiria voltar a Amityville a tempo de levar os meninos à escola.

Danny e Chris se meteram e disseram que queriam ficar: tinham lição de casa para fazer e, além do mais, a avó não liberava televisão depois das 20h. Kathy enfim cedeu, mas sentiu apreensão por ter que passar mais uma noite em casa. Disse a George que achava que não conseguiria pregar os olhos.

Harry ficou na cozinha durante a janta, e Kathy serviu para o cachorro todas as sobras de carne da refeição. Antes da família se recolher, George achou que seria melhor deixar Harry dentro de casa naquela noite. Estava um frio cortante lá fora e só iria piorar caso nevasse. Como Harry não recebeu a costumeira ração, George imaginou que o cachorro estaria mais alerta depois de comer um pouco de carne vermelha.

Enquanto os meninos faziam a lição de casa, Missy levou Harry para brincar em seu quarto. Só que Harry não quis ficar lá: estava assustado e gania. Kathy notou que a situação pirou ainda mais depois que Missy apresentou o cachorro ao seu amigo invisível, Jodie. Até que a menininha precisou fechar a porta para evitar que Harry fugisse, levando o cão a rastejar para baixo da cama e ficar ali. Depois de um tempo, Chris desceu para buscar Harry, que disparou para fora do quarto de Missy e, com o rabo entre as pernas, subiu correndo para o terceiro andar, onde permaneceu o resto da noite.

À meia-noite, quando o casal enfim foi para a cama, Kathy apagou pela terceira noite consecutiva, mergulhando depressa em um sono profundo, a respiração pesada. Já George, deitado de lado com as costas viradas para a esposa, ficou bem desperto, todo ouvidos, prestando atenção para escutar o mais ínfimo sinal da banda de marcha militar.

Quando notou os flocos de neve caindo do lado de fora das janelas, viu que seu relógio de pulso marcava 1h. O vento estava ficando mais forte, fazendo os flocos dançarem pelo ar. De repente, teve a impressão de ouvir um barco se movendo pelo rio Amityville. No entanto, as janelas do quarto não davam para às margens do rio e George não estava disposto a sair da cama quentinha para olhar pelas janelas do quarto de Missy ou da sala de costura. Além disso, como o rio estava congelado, George atribuiu o som aos caprichos do vento.

Às 2h ele começou a bocejar. As pálpebras estavam ficando pesadas, e o corpo, rígido por permanecer na mesma posição. Pouco tempo antes, George olhara para Kathy por cima do ombro. Ela continuava deitada de costas, a boca aberta.

De repente, ele sentiu um impulso de se levantar e ir tomar uma cerveja no Witches' Brew. Sabia que havia cerveja na geladeira, mas ficou pensando que não conseguiria matar a sede só com aquelas latas. Tinha que ser o Witches' Brew e não importava que fossem 2h da manhã ou que estivesse congelando lá fora. Ele se virou para acordar Kathy e avisar que daria uma saidinha.

Na escuridão do quarto, George pôde constatar que Kathy não estava na cama. Pôde constatar que ela estava levitando outra vez, quase trinta centímetros acima, flutuando para longe!

Por instinto, George esticou o braço, agarrou e puxou o cabelo da esposa. Kathy flutuou de volta e depois caiu na cama. Ela despertou.

George acendeu o abajur sobre a mesa de cabeceira ao lado e arquejou. Estava olhando para uma mulher de 90 anos: o cabelo desgrenhado, de um branco surpreendente, o rosto repleto de rugas e linhas horríveis, a saliva escorrendo pela boca desdentada.

George ficou tão enojado que teve vontade de fugir do quarto. Os olhos de Kathy, afundados entre as rugas, olhavam para ele com uma expressão interrogativa. George estremeceu. É a *Kathy*, pensou, é a minha esposa! O que diabos estou fazendo?

Kathy viu o medo estampado no rosto do marido. Meu Deus, o que ele está vendo? Ela pulou da cama e correu para o banheiro, acendendo a lâmpada sobre o espelho. Ao fitar o próprio rosto, soltou um grito.

A idosa vista por George tinha desaparecido: o cabelo continuava desgrenhado, mas estava outra vez loiro, os lábios já não babavam e o rosto não estava mais enrugado. Só que linhas profundas e feias marcavam as bochechas.

Seguindo Kathy até o banheiro, George espiou a imagem por cima do ombro da esposa. Ele também viu que a fisionomia de 90 anos tinha sumido, mas os sulcos longos e escuros ainda marcavam profundamente a face de Kathy.

"O que está acontecendo com meu rosto?", gritou ela.

Kathy se virou para George, que tocou a boca da esposa. Os lábios estavam secos e quentes. Em seguida, ele passou as pontas dos dedos com delicadeza ao longo dos sulcos profundos. Havia três em cada bochecha, estendendo-se de um ponto logo abaixo dos olhos até pouco abaixo da linha do maxilar.

"Não sei, querida", sussurrou ele.

George pegou uma toalha ao lado da pia e tentou remover as marcas. Kathy se virou e olhou para o espelho: o rosto marcado encarou de volta. Correndo os próprios dedos pelo rosto, ela começou a chorar.

O desamparo da esposa mexeu profundamente com George, que pousou as mãos sobre os ombros dela.

"Vou ligar para o padre Mancuso agora mesmo", disse.

Kathy balançou a cabeça.

"Não, não devemos envolver o padre nisso." Ela olhou para o reflexo de George no espelho. "Alguma coisa me diz que ele poderia se machucar. É melhor a gente dar uma olhada nas crianças", prosseguiu ela, com calma.

As crianças estavam bem, mas George e Kathy não conseguiram voltar a dormir naquela noite. Eles ficaram no quarto, com as luzes apagadas, contemplando a neve cair. De vez em quando, Kathy levava as mãos ao rosto, a fim de verificar se continuava com os sulcos. Por fim, o frio amanhecer despontou. Já não nevava e havia claridade suficiente para que George conseguisse enxergar Kathy quando ela tocou seu ombro.

"George, olhe para meu o rosto", pediu ela.

Ele mudou de posição na poltrona em que havia se acomodado ao lado da janela e olhou para ela. À luz fraca do alvorecer, George pôde ver que as marcas tinham sumido. Ele levou os dedos ao rosto da esposa e tocou a pele. Estava macia de novo, sem nenhum vestígio dos sulcos que a tinham desfigurado!

"As marcas sumiram, querida", sorriu ele, com delicadeza. "Todas sumiram."

Apesar do pedido de Kathy durante a noite, George ligou para o padre Mancuso de manhã, conseguindo falar com o sacerdote pouco antes de ele sair para a primeira missa.

George contou que entrara em contato com o instituto na Carolina do Norte, e que um tal de Jerry Solfvin prometera enviar um investigador à casa o quanto antes. Depois mencionou o incidente da noite anterior. O padre Mancuso ficou horrorizado ao saber da segunda levitação e das repentinas mudanças no rosto de Kathy.

"George, estou preocupado com o que pode acontecer", disse ele, com um tom de agonia. "Por que vocês não ficam longe dessa casa por um tempo?"

George assegurou ao padre que estava pensando em fazer isso, mas primeiro queria ver o que Francine, a médium, tinha a dizer. Talvez ela pudesse ajudar, como tinha afirmado.

"Uma médium?", perguntou o padre Mancuso. "Do que você está falando, George? Isso não é uma investigação científica."

"Mas ela disse que pode conversar com espíritos", protestou George. "Na verdade, padre, você sabe o que ela disse ontem? Ela disse que existe um poço escondido embaixo da casa. Ela tem razão! Eu encontrei um poço embaixo da escada que leva à porta da frente! Ela adivinhou sem nunca ter estado aqui!"

O padre Mancuso ficou bravo.

"Ouça!", gritou ao telefone. "Você está correndo perigo! Não sei o que está acontecendo na sua casa, mas você deveria sair daí!"

"Você quer dizer abandonar tudo?"

"Sim, apenas por um tempo", insistiu o sacerdote. "Vou conversar com os chanceleres outra vez e ver se eles podem enviar alguém, talvez um padre."

George ficou em silêncio. Estava tentando convencer o padre Mancuso a fazer uma visita há alguns dias, mas só recebera recusas. Já os superiores do sacerdote não tinham feito nada além de sugerir que entrasse em contato com alguma organização. Quando enfim encontrara alguém que parecia ser capaz de ajudar de verdade, deveria simplesmente abandonar tudo e ir embora?

"Vou conversar sobre isso com Kathy, padre", disse George, por fim. "Obrigado." Ele estava prestes a desligar.

"George, só mais uma coisa", falou o padre Mancuso. "Se não me engano, você e Kathy faziam Meditação Transcendental, não é?"

"Sim, isso mesmo."

"Vocês continuam praticando?", perguntou o padre.

"Não... sim... Quer dizer, estamos sem praticar desde que nos mudamos para cá", respondeu George. "Por quê?"

"Só curiosidade, George, só isso", respondeu o padre Mancuso. "Fico feliz que não estejam praticando a meditação no momento. Ela poderia estar deixando vocês suscetíveis."

Logo depois de conversar com George, o padre Mancuso ligou para a Chancelaria, em Rockville Centre. Lamentavelmente, os chanceleres Ryan e Nuncio não estavam disponíveis, mas o secretário prometeu que pediria para eles retornarem a ligação no dia seguinte. Era o máximo que podia fazer. O padre estava extremamente agitado e rezou para que as coisas não continuassem se deteriorando até que a Igreja pudesse reunir forças para enfrentar o mal que tomava conta do número 112 da Ocean Avenue.

Em sua compaixão pelo sofrimento dos Lutz, o padre Mancuso se esqueceu do próprio dilema. Até que foi lembrado de maneira violenta, poucos minutos depois, que também era alvo da influência implacável. O sacerdote começou a sentir calafrios e tremores, seu estômago se revirou e sua garganta se contraiu. Ele espirrou, e os olhos lacrimejaram. Quando voltou a espirrar e viu sangue no lenço, o alerta do chanceler Ryan, "Não se envolva mais!", relampejou pela sua mente. Só que era tarde demais: o padre Mancuso tinha todos os sintomas de um novo ataque de gripe!

Mais tarde naquela mesma noite, Eric, o jovem engenheiro que trabalhava na empresa de George, bateu à porta da casa dos Lutz, ao lado de sua namorada Francine. George logo abriu e convidou o jovem casal a sair do frio cortante e entrar na sala de estar, para que se aquecessem em frente da grande lareira.

Eric e Francine transmitiram uma alegria contagiante que vinha faltando no número 112 da Ocean Avenue. George e Kathy retribuíram e logo os quatro estavam conversando como se fossem velhos amigos. No entanto, por trás da cordialidade externa de George, havia urgência: ele queria que Francine examinasse a casa.

Ele tentava mudar o rumo da conversa para as experiências de Francine com espíritos, mas ela se antecipou. De repente, se levantou de seu lugar no sofá e gesticulou para George.

"Coloque a mão aqui com delicadeza", pediu. George se curvou e pôs a mão acima do lugar apontado. "Está sentindo o ar frio?", perguntou Francine.

"Um pouco", respondeu George.

"Ela estava sentada aqui, mas já saiu. Agora avance pelo sofá. Está sentindo aqui?"

George colocou a mão perto de uma almofada.

"Oh, sim, está quente."

Francine sinalizou para que George e Kathy a acompanhassem. Os três entraram na sala de jantar, enquanto Eric permanecia na sala de estar, perto da lareira. Francine parou ao lado da grande mesa.

"Tem um odor incomum aqui", comentou ela. "Não consigo dizer muito bem o que é, mas está presente. Uau! Vocês estão sentindo *isso*?"

George cheirou.

"Sim, bem aqui. É o cheiro de transpiração."

A garota seguiu para a cozinha, mas hesitou antes de entrar no canto onde a família tomava o café da manhã.

"Tem um senhor e uma senhora aqui, dois espíritos perdidos. Vocês estão sentindo o cheiro de perfume?"

Os olhos de Kathy se arregalaram. Ela olhou depressa para George, que deu de ombros.

"É evidente que essas pessoas foram proprietárias da casa em alguma época, mas morreram", continuou Francine. "Só que acho que não morreram dentro da casa." Ela se virou para George e pediu: "Quero ir ao porão agora, ok?".

Quando George conversou com Francine pelo telefone, ele contou que coisas misteriosas estavam acontecendo na casa — mas sem deixar claro quais eram os fenômenos e sem explicitar os fatos que o casal tinha presenciado. Ele não mencionara os contatos físicos na cozinha nem o cheiro de perfume sentido por Kathy. De qualquer maneira, Francine havia dito que preferia tirar as próprias conclusões depois de fazer a visita e "conversar com os espíritos que vivem na casa".

Francine desceu a escada até o porão.

"A casa foi construída sobre um cemitério ou algo assim", disse. Ela apontou para a grande área do porão onde foram colocados armários embutidos. "Aquilo é novo?", perguntou a George.

"Acho que não", respondeu ele. "Até onde eu saiba, foram feitos na mesma época."

Francine parou diante dos armários.

"Existem pessoas enterradas bem aqui. Tem alguma coisa em cima delas. Sinto um cheiro estranho. Não deveria estar tão abafado assim." Ela estava apontando diretamente para os painéis de compensado que escondiam o quarto secreto. "Notaram o frio?" Suas mãos estavam se movendo agora, tocando a madeira. "Alguém foi assassinado, ou pode até mesmo estar enterrado aqui. Mas isso parece ser uma parte nova, como se uma nova área tivesse sido construída, e em cima desta cova."

Kathy queria sair correndo do porão. George notou seu desconforto e pegou a mão da esposa. Francine resolveu o dilema.

"Não gosto nem um pouco deste lugar. É melhor a gente voltar lá para cima agora." Sem esperar uma resposta, ela se virou e seguiu para a escada do porão.

Enquanto subiam para o segundo andar, Eric se juntou a eles. Francine parou no corredor, apoiando-se no balaústre.

"Preciso dizer que, enquanto subia até aqui, eu senti uma tontura. Senti um aperto no lado direito do peito."

"Uma dor?", perguntou Kathy.

Francine assentiu.

"Muito leve, muito rápida. No momento em que contornei a quina. Passou depressa." Ela parou na frente da porta fechada da sala de costura. "Vocês tiveram problemas aqui dentro."

George e Kathy assentiram. George abriu a porta, esperando encontrar moscas dentro do quarto. Como não havia nenhuma, ele e Francine entraram, enquanto Kathy e Eric ficaram parados na soleira.

De repente, Francine pareceu entrar em transe. De sua boca saiu uma voz diferente, mais grossa, mais masculina: "Gostaria de dar uma sugestão a vocês. Na maioria das vezes, as pessoas que descobrem como os espíritos são acabam gostando de conviver com eles. Elas não querem que eles se percam ou que partam. Mas neste caso acredito que a casa deva ser purificada ou exorcizada".

A voz que saía de Francine começou a soar familiar a George, que não conseguia identificá-la, mas tinha certeza de que a ouvira antes.

"A filhinha e os filhos de alguém... Vejo manchas de sangue. Alguém ficou gravemente ferido aqui. Alguém tentou se matar ou algo assim..."

Francine saiu do transe.

"Eu gostaria de ir embora agora", anunciou para George e Kathy. "Não é uma boa hora para tentar conversar com os espíritos. Estou com o pressentimento de que devo sair. Eu nasci com um Véu Veneziano, sabe." George não entendeu o que Francine quis dizer com aquelas palavras, mas ela prometeu que voltaria em um ou dois dias. "Quando as vibrações estiveram melhores", explicou. O casal foi embora logo em seguida.

De volta à sala de estar, George e Kathy ficaram em silêncio por muito tempo. Até que Kathy rasgou o silêncio e perguntou: "O que você acha?".

"Não sei", respondeu George. "Não sei mesmo. Ela estava acertando as coisas em cheio." Ele se levantou para apagar o fogo. "Preciso refletir um pouco sobre isso."

Kathy subiu para dar uma olhada nas crianças. Harry estava com os meninos outra vez, pois estava muito frio lá fora, mesmo para um cachorro robusto. George fez a costumeira verificação das portas e fechaduras, depois apagou as luzes do primeiro andar.

Ele começou a subir a escada até o quarto, então parou antes de chegar ao patamar do segundo andar. George viu que o balaústre acima fora retorcido para fora da base, arrancado do chão quase por completo.

Nesse exato momento, ele se lembrou de quem era a voz que falara com ele através de Francine. Era a voz do padre Mancuso!

AMITYVILLE
JAY ANSON

8 DE JANEIRO

19

Na quinta-feira, Jimmy e sua esposa Carey retornaram da lua de mel nas Bermudas. Jimmy ligou para Kathy da casa da mãe e avisou que faria uma visita mais tarde naquele mesmo dia. Uma das primeiras perguntas foi se ela e George tinham encontrado os 1.500 dólares. Ele ficou muito desapontado quando Kathy contou que não descobriram nenhum vestígio do envelope.

George passou a manhã inteira encaixando as fixações quebradas do balaústre do segundo andar. Quando os meninos desceram para tomar o café da manhã, quiseram ajudar, mas George dispensou a ajuda, dizendo que os dois tinham que sair para comprar sapatos novos com a mãe.

Ninguém da família tinha ouvido o balaústre ser arrancado das fixações durante a noite. O que causara este último estrago à casa permaneceu um mistério. George e Kathy tinham um palpite, mas não revelaram na frente das crianças.

Depois que Kathy enfim se recompôs, acomodou os filhos na van para um passeio de compras. George aproveitou a oportunidade para ligar para Eric, que estava em casa e atendeu. Ele perguntou ao rapaz se Francine tinha comentado alguma coisa depois que eles foram embora. Ficou perturbado ao ouvir que a garota estava muito transtornada com o que sentira na casa e dissera a Eric que não queria voltar para lá nunca mais: a presença era muito forte. Francine temia que, se tentasse conversar com seja lá o que estivesse na casa dos Lutz, correria perigo de sofrer um ataque físico.

"Eric, o que é o Véu Veneziano que ela mencionou pouco antes de vocês irem embora?", perguntou George.

"Pelo que Francine me contou", respondeu Eric, "é uma membrana que envolve alguns bebês durante o nascimento... um tipo de cobertura de pele, como um véu fino, sobre o rosto. Ele pode ser removido, mas Francine diz que quem nasce assim é abençoado de alguma maneira com um grau altamente desenvolvido de clarividência."

George desligou o telefone e ficou sentado na cozinha por mais de uma hora, tentando pensar em onde ou como conseguiria arrumar ajuda antes que fosse tarde demais.

Então o telefone tocou. Era George Kekoris, um investigador de campo do Instituto de Pesquisas Psíquicas da Carolina do Norte. Ele disse ter recebido instruções para entrar em contato com George e marcar a realização de alguns testes científicos na casa dos Lutz. Kekoris informou que não poderia ser naquele mesmo dia, já que estava ligando de Buffalo, mas que tentaria fazer a visita na manhã seguinte.

Depois de conversar com Kekoris, George sentiu como se tivesse recebido um sopro de esperança de última hora. Então, para passar o tempo até Kathy retornar, ele retirou as decorações de Natal da árvore montada na sala de estar. Com cautela, colocou os delicados enfeites sobre jornais abertos, para que Kathy voltasse a guardá-los em caixas de papelão, tomando cuidado especial com a linda peça de ouro e prata que pertencera à sua bisavó.

Durante a manhã e a tarde daquela quinta-feira, o padre Mancuso tratou do recorrente ataque de gripe. Ele precisou aceitar que aquele novo tormento era outra demonstração do poder e do desagrado da força maligna que ele provocara no número 112 da Ocean Avenue.

Dessa vez não houve nenhuma ligação solícita do pastor, embora o padre Mancuso tivesse certeza de que o clérigo estava sabendo de sua doença. Ele permaneceu nos próprios aposentos, de molho na cama, usando a medicação prescrita pelo médico nas consultas anteriores. A febre alcançara os 40°C, seu estômago doía o tempo todo e, à medida que o dia avançava, o padre sentia ora frio, ora calor. Por sorte, nenhuma ferida brotou nas palmas das mãos — o que para o padre Mancuso foi um sinal de que estava recebendo um grau menor de punição por ter se envolvido outra vez com os Lutz.

O padre Mancuso nem sequer tentara fazer novo contato com a Chancelaria, esperando que o padre Ryan ou o padre Nuncio retornassem a ligação. O sacerdote sentiu que suas dores e aflições diminuiriam caso ele evitasse pensar na situação dos Lutz e, em determinado momento daquela tarde, chegou a desejar que os chanceleres ignorassem seu pedido de nova audiência. Ele passou o tempo lendo seu breviário.

Por volta das 16h, Kathy já tinha voltado do passeio de compras. Visto que os Lutz continuavam com o carro de Jimmy, os recém-casados estavam sem meios de locomoção. Por isso, Kathy se ofereceu para ir pegar o irmão e a esposa.

George vetou essa possibilidade: as estradas cobertas de gelo que levavam até a casa da mãe de Kathy, em East Babylon, ainda estavam em condições perigosas. Sem falar que o carro de Jimmy tinha câmbio manual, um sistema que Kathy nunca chegara a dominar muito bem. Por essa razão, George pegou o carro para ir buscar o cunhado e a esposa e retornou a Amityville com as visitas uma hora depois.

Kathy ficou encantada em ver Jimmy e Carey outra vez e passou as horas seguintes devorando os relatos de cada detalhe da lua de mel nas Bermudas. Os pombinhos também tinham uma série de fotos Polaroid para mostrar, com explicações detalhadas atrás de cada uma delas. Jimmy e a esposa não tinham um centavo sobrando depois da viagem, comentou, mas guardariam lembranças que durariam pelo resto da vida. É claro que compraram alguns presentes para Danny, Chris e Missy, e isso manteve as crianças distraídas pela maior parte da noite.

Em vez de estragar a alegria dos visitantes relembrando as estranhas experiências que presenciaram desde o casamento, George e Kathy apenas compartilharam a animação dos recém-casados. Em dado momento, Kathy e a cunhada subiram para trocar os lençóis da cama de Missy. Jimmy e Carey passariam a noite no quarto de Missy, ao passo que a menininha dormiria em um sofá velho no quarto de vestir no fim do corredor.

Jimmy explicou a George seus planos para se mudar da casa da mãe. Ele queria alugar um apartamento bem situado entre a casa da mãe e a dos sogros, que também moravam em East Babylon, o que agradaria as duas famílias por algum tempo.

Todos foram para a cama relativamente cedo. Antes de se recolherem, George e Jimmy checaram a casa por dentro e por fora. George mostrou a Jimmy a porta danificada da garagem, mas não ofereceu nenhuma explicação além da hipótese de que os estragos foram causados por um vendaval. Jimmy, que viu seu dinheiro desaparecer sem nenhuma explicação, suspeitou de outra coisa, mas também se manteve em silêncio e seguiu George em sua vistoria do abrigo de barcos.

De volta ao interior da casa, eles continuaram verificando portas e janelas, até se certificarem de estava tudo certo com o número 112 da Ocean Avenue. Eram 23h quando os casais se despediram, trocando um boa-noite.

George sabe que aconteceu às 3h15 porque estava acordado alguns minutos antes e tinha acabado de conferir o relógio de pulso. Foi nessa hora que Carey acordou gritando.

"Oh, Deus, ela também não!", murmurou para si mesmo. George pulou para fora da cama, correu para o quarto de Missy e acendeu a luz. O jovem casal estava abraçado na cama, Jimmy tentando acalmar a esposa que soluçava.

"Qual é o problema?", perguntou George. "O que aconteceu?"

Carey apontou para o pé da cama de Missy.

"A-a-alguma coisa estava sentada ali! Ela tocou m-m-meu pé!"

George se aproximou do lugar indicado por Carey e tateou a cama. Estava quente, como se alguém tivesse se sentado ali.

"Eu acordei e pude ver um garotinho", continuou Carey. "Ele parecia tão doente! Ele estava tentando pedir a minha ajuda!" Ela caiu em um choro histérico.

Jimmy consolou a esposa, com delicadeza.

"Vamos, Carey", disse ele, em tom tranquilizador. "Você provavelmente estava sonhando e..."

"Não, Jimmy!", protestou Carey. "Não foi um sonho! Vi o menino! Ele falou comigo!"

"O que ele falou, Carey?", perguntou George.

Os ombros de Carey continuavam tremendo, mas ela levantou devagar a cabeça dos braços do marido, que a consolava. George ouviu um barulho às próprias costas e um toque no ombro. Deu um pulo, então olhou para trás. Era Kathy. Os olhos dela estavam marejados, como se ela também tivesse chorado.

"Kathy!", gritou Carey.

"O que o garotinho disse?", encorajou Kathy.

"Ele me perguntou onde Missy e Jodie estavam!"

Assim que ouviu o nome de Missy, Kathy disparou para fora do quarto e correu para o outro lado do corredor. No quarto de vestir, a menininha dormia a sono solto, com um pé despontando para fora do sofá. Kathy levantou o cobertor de Missy e empurrou a perna da filha para debaixo das cobertas, em seguida se curvou e deu um beijo na cabeça dela. George entrou no quarto.

"A Missy está bem?"

Kathy assentiu.

Depois de quase quinze minutos, Carey estava calma o bastante para voltar a adormecer. Embora Jimmy continuasse inquieto, logo pegou no sono também.

George e Kathy tinham fechado a porta do quarto do jovem casal e voltado para o próprio quarto. Sem demora, Kathy entrou no closet e pegou o crucifixo que estava pendurado lá dentro.

"George", disse, "vamos abençoar a casa nós mesmos."

Começaram no terceiro andar, no quarto de brinquedos das crianças. No misterioso silêncio que antecede o amanhecer, naquele quarto gelado, George segurou o crucifixo à sua frente enquanto Kathy entoava o Pai Nosso. Não entraram no quarto de Danny e Chris: Kathy sugeriu que esperassem até o dia seguinte para abençoar aquele e os cômodos em que Missy e Jimmy e Carey estavam dormindo.

Os dois seguiram para o próprio quarto e depois para a sala de costura no segundo andar. Advertindo a esposa para ter cuidado com o balaústre recém-consertado, George desceu na frente até o primeiro andar, ainda brandindo o crucifixo de prata como imaginava que um padre teria feito durante uma procissão sagrada.

Quando terminaram de abençoar a cozinha e a sala de jantar, já havia um pouco de claridade do lado de fora da casa. Mesmo sem acender as luzes, eles podiam ver a sala de estar vagamente iluminada. George caminhou em volta dos móveis e Kathy começou a recitar: "Pai Nosso que estais no céu, santificado seja vosso...".

Kathy foi interrompida em sua oração por um zumbido alto. Ela hesitou e olhou em volta. George parou enquanto dava um passo e olhou para o teto. O zumbido aumentou até se transformar em uma confusão de vozes que pareceu envolvê-los por completo.

Por fim, Kathy cobriu os ouvidos com as mãos para abafar a cacofonia, mas George ouviu com clareza o coro estrondeante: *"Parem com isso!"*.

AMITYVILLE
JAY ANSON

DE 8 A 9 DE JANEIRO

20

Como o padre Mancuso se sentia fraco demais para celebrar a missa na igreja, permaneceu em seus cômodos, rezando em seu genuflexório. O telefone tocou. Era o padre Nuncio, que ligava da Chancelaria para informar que ele e o padre Ryan já estavam disponíveis para receber o colega.

O padre Mancuso alegou que não poderia ir porque estava doente, mas perguntou se poderiam discutir a situação dos Lutz pelo telefone. O padre Nuncio concordou e ouviu o padre Mancuso relatar os últimos acontecimentos no número 112 da Ocean Avenue. Sem hesitar, o chanceler concordou com a sugestão do padre Mancuso de que os Lutz deveriam deixar a casa. O padre Mancuso informou ao padre Nuncio sua decisão de não voltar à Amityville e disse que transmitiria a conversa por telefone.

Em Amityville, Kathy e George ainda estavam abalados pelo coro invisível da véspera. Sentada no quarto do casal, Kathy tinha passado a noite em claro, assim como ele, que devolvera o crucifixo à parede e em seguida dera a mão para a esposa. Os dois sussurram palavras de conforto para tentar abrandar seus temores. Às 8h, Kathy se levantou da beirada da cama e foi acordar as crianças. Jimmy e Carey saíram do quarto de Missy às 8h30, prontos para o café da manhã.

Depois de conversar com o padre Nuncio, o padre Mancuso ligou para George Lutz para transmitir o ponto de vista do chanceler. O sacerdote ouviu o telefone tocar por muito tempo e estava prestes a desistir quando George atendeu. Como o padre presumiu que o instrumento estava aprontando um de seus truques esquisitos, ficou surpreso por ter conseguido completar a ligação sem interferência.

George justificou que tinha acabado de levar Jimmy e a esposa de volta a East Babylon e, em seguida, relatou os acontecimentos presenciados depois da cerimônia de bênção improvisada da noite anterior. Consternado, o padre Mancuso insistiu que George seguisse o conselho dos chanceleres e fosse embora de casa o quanto antes.

"E, George, não faça isso de novo", pediu. "Invocar o nome de Deus do jeito que você fez só vai enfurecer o que quer que esteja na sua casa. Não faça mais *nada*. A coisa toda já saiu completamente do controle e..."

"Padre", interrompeu George. "O que você está dizendo?"

O sacerdote hesitou. Será que tinha falado demais? Os chanceleres haviam restringido toda a discussão sobre o caso dos Lutz a causas científicas e haveria um longo período de investigação antes que a Igreja admitisse influência demoníaca. Ele não quisera revelar seus temores pessoais.

"Não tenho certeza", recuou o padre Mancuso. "É por isso que estou suplicando que fique longe dessa casa até que alguma decisão possa ser tomada, cientificamente ou..." O padre hesitou.

"Ou o quê?", perguntou George.

"Pode haver mais perigo do que é possível imaginar", respondeu o padre Mancuso. "Ouça, George, acontecem muitas coisas que nenhum de nós consegue explicar. Admito que estou muito confuso sobre o que parece ser uma força maligna em sua casa. Também admito que ela pode ser causada por algo além da nossa compreensão." O sacerdote fez uma pausa.

"George? Você ainda está aí?"

"Sim, padre. Estou ouvindo."

"Então tudo bem", recomeçou o padre Mancuso. "Por favor, saia daí. Deixe a poeira baixar por um tempo. Se você for embora, talvez consigamos pensar nisso tudo com mais racionalidade. Vou contar aos chanceleres o que aconteceu na noite passada. Talvez eles enviem alguém de..."

O padre Mancuso foi interrompido pelo grito de Kathy do outro lado da linha. George disse abruptamente "Ligo de volta!", e o padre ouviu o fone bater no gancho. Ele ficou parado na sala de estar, imaginando que ato anormal estaria se desenrolando naquele momento no número 112 da Ocean Avenue.

George subiu correndo a escada até o terceiro andar. Quando chegou ao patamar, viu Kathy gritando com Danny, Chris e Missy.

George logo entendeu o porquê: em todas as paredes do corredor havia manchas verdes gelatinosas, que escorriam do teto até o chão e se acumulavam em cintilantes poças de lodo esverdeado.

"Quem fez isso?", perguntou Kathy, enfurecida. "Tratem logo de dizer ou vão levar uma surra que nunca mais vão esquecer!"

"Não foi a gente, mamãe!", responderam os três em coro, tentando se desviar dos tapas que Kathy mirava em suas cabeças.

"Não foi a gente!", berrou Danny. "Já estava assim quando subimos!"

George se colocou entre a esposa e as crianças.

"Espere um pouco, querida", disse, com delicadeza. "Talvez as crianças *não tenham feito* isso. Eu gostaria de dar uma olhada."

Ele se aproximou de uma parede e enfiou o dedo em uma mancha verde. Olhou e cheirou a substância, antes de colocar um pouco na ponta da língua.

"Com certeza parece gelatina", comentou, estalando os lábios. "Mas não tem gosto de nada."

Kathy estava recobrando a calma depois do ataque.

"Poderia ser tinta?", perguntou ela.

George balançou a cabeça.

"Não." Ele tentou sentir a textura da gelatina esfregando-a nas pontas dos dedos. "Não sei o que é, mas com certeza faz uma sujeira e tanto." Olhou para o teto. "Não parece estar vindo lá de cima..." Então hesitou. Olhou ao redor como se percebesse pela primeira vez onde estava. De uma só vez, George se lembrou da conversa que tivera com o padre Mancuso poucos minutos antes e a temida palavra "diabo" quase escapou por entre seus lábios.

"O que você disse, George?", perguntou Kathy. "Não ouvi."

Ele olhou para a esposa e para as crianças. "Nada. Só estava pensando em voz alta..." Começou a guiar a família na direção da escada. "Ouçam, estou com fome. Vamos descer até a cozinha e comer alguma coisa. Depois eu vou voltar aqui para cima com os garotos e limpar essa gosma. Ok, pessoal?"

Jimmy e Carey tinham voltado para East Babylon. Carey estava aliviada em se ver longe do número 112 da Ocean Avenue, mesmo que isso significasse ficar na casa da sogra.

"Senti muito medo lá, Jimmy", disse ela, ao sair do carro. "Sei que vi um garotinho na noite passada, mesmo que ninguém acredite."

Jimmy estendeu o braço para dar uma palmada no traseiro da esposa.

"Ah, deixa isso pra lá, querida", disse. "Foi só um sonho. Você sabe que eu não acredito nessas coisas."

Carey se desvencilhou de Jimmy, olhando em volta para ver se algum vizinho estava observando. Só que quando estava prestes a passar pela porta, Jimmy a segurou pelo braço.

"Olhe, Carey", disse ele, puxando a esposa para mais perto, "vou pedir um favor: não comente o que aconteceu na frente da minha mãe. Ela fica muita abalada com esse tipo de coisa. Quando a gente menos esperar, teremos um padre aqui."

Carey bateu o pé. "E o dinheiro que você perdeu na casa de Kathy? Vai me dizer que isso também foi um sonho?"

O padre Mancuso passou o resto da tarde se perguntando por que George não ligara de volta depois de ouvir o grito de Kathy. Em determinado momento, cogitou ligar para o Departamento de Polícia do Condado de Suffolk, para pedir ao sargento Gionfriddo que desse uma passada na casa dos Lutz. Porém, a repentina presença de um policial tocando a campainha poderia fazer com que a família ficasse ainda mais assustada. Oh, Deus, pensou, espero que não tenha acontecido nada. Por fim, o padre pegou o telefone e discou o número de George.

Ninguém atendeu, porque a família inteira estava no abrigo de barcos, onde o barulho do compressor abafava os sons dos toques. George, Danny e Chris estavam jogando bocados de gelatina verde na água gelada em volta do barco. A mangueira do compressor agitava a substância, misturando-a com a água fria e fazendo com que fosse varrida para baixo do gelo.

De pé na estreita passarela de madeira, os garotos despejavam a gosma na água, enquanto Kathy esfregava o que respingava dos baldes. Missy segurava Harry para evitar que o cachorro ficasse no caminho de alguém. George trabalhava em silêncio, tentando não transmitir seus temores para Kathy e as crianças. Para a sorte dele, a esposa continuava suspeitando de que as crianças eram responsáveis pela bagunça: Kathy ainda não tinha conectado o lodo esverdeado com os outros problemas misteriosos que envolviam a casa.

George estava tão absorto em pensamentos que se esqueceu por completo de ligar de volta para o padre Mancuso. Naquela noite, quando sentaram diante da lareira, Kathy insistiu que fossem para a casa da mãe dela. Só que no momento em que ela sugeriu que não esperassem pelo dia de amanhã, George perdeu as estribeiras.

"Droga, não!", gritou ele, levantando-se de um pulo da poltrona, o rosto vermelho de raiva.

Toda a pressão acumulada por fim explodiu.

"Todas as malditas coisas que temos no mundo estão aqui!", esbravejou. "Investi muito nesta casa para simplesmente abandonar tudo desse jeito!"

As crianças, que ainda estavam acordadas, se encolheram e correram para o lado da mãe. Até mesmo Kathy ficou assustada com aquela desconhecida faceta de George, que tinha a expressão de um homem possuído.

Lívido da cabeça aos pés, ele parou ao lado da escada e gritou para que pudesse ser ouvido em todos os cômodos da casa.

"Seus filhos da puta! Saiam da minha casa!" Em seguida subiu correndo a escada até o terceiro andar, entrou no quarto de brinquedos e escancarou todas as janelas. "Saiam! Saiam em nome de Deus!"

George correu para o quarto dos meninos, depois foi até o segundo andar, agindo do mesmo modo, abrindo todas as janelas de cada cômodo, berrando, "Saiam em nome de Deus!", de novo e de novo.

Como algumas janelas resistiram ao empurrão, ele golpeou furioso os caixilhos até elas desemperrarem. O ar frio foi soprado para dentro e logo toda a casa estava tão gelada quanto o lado de fora.

George enfim terminou. À medida que retornava ao primeiro andar, a raiva deixava seu corpo. Exausto e muito ofegante, parou no meio da sala de estar, abrindo e fechando os punhos com força.

Enquanto ele esteve em seu ritual, Kathy e as crianças ficaram plantadas em um ponto perto da lareira. Agora se aproximaram devagar e rodearam George, que levantou os braços e abraçou a família: quatro pessoas atemorizadas.

Uma quinta testemunha presenciou essa cena, uma testemunha de carne e osso. O sargento Al Gionfriddo, para quem o padre Mancuso quisera ligar, estava fazendo a última ronda em Amityville antes de finalizar o expediente, às 21h. Enquanto descia a Ocean Avenue, a espantosa visão de um homem descontrolado no número 112, abrindo janelas no auge do inverno, o levara a frear a viatura.

Gionfriddo estacionou na interseção entre a South Ireland Place e a Ocean Avenue, bem do outro lado da casa dos Lutz. Ele apagou faróis. Algo o impedia de sair da viatura e andar até a porta da frente da casa. Na verdade, ele não queria investigar as causas do comportamento lunático do proprietário. Gionfriddo ficou ali sentado e observou enquanto uma mulher dava a volta pela casa fechando todas as janelas.

Essa deve ser a sra. Lutz, pensou. Parece que eles estão bem agora. Não vou meter a colher nesse negócio. Ele suspirou e deu a partida no carro. Com os faróis desligados, o policial desceu devagar pela South Ireland Place, até conseguir fazer uma curva à esquerda, em uma rua que corria paralela à Ocean. Só então acendeu os faróis.

Ao longo da hora seguinte, a casa de número 112 da Ocean Avenue voltou a ficar aquecida. O calor dos radiadores enfim tinha superado o ar glacial que invadira a residência, e mais uma vez o termostato marcava 23°C.

Os meninos haviam cochilado na frente da lareira, e Kathy segurava a pequena Missy no colo, ninando a filha. Às 22h, ela deu uma olhada nos quartos das crianças e decidiu que Danny e Chris podiam ir para suas camas.

Desde seu ataque, George estava completamente taciturno, fitando em silêncio a lenha ser consumida pelas chamas. Kathy deixou o marido em paz, percebendo que ele estava tentando resolver o dilema da família de seu próprio jeito. Depois de colocar as crianças para dormir, ela enfim se aproximou e pediu com delicadeza que ele saísse da sala.

George olhou para Kathy, que viu o rosto do marido trair confusão e raiva: os olhos estavam marejados, e George parecia estar chorando de frustração. O coitado merecia um descanso, pensou ela. Ele balançou a cabeça, negando o pedido da esposa para ir para cama.

"Pode ir primeiro", disse ele, em voz baixa. "Daqui a pouco eu vou." Seus olhos voltaram para as chamas bruxuleantes.

No quarto, Kathy deixou aceso o abajur sobre a mesa de cabeceira de George. Ela se despiu, se enfiou na cama e fechou os olhos. Kathy podia ouvir o vento uivando do lado de fora. O som era relaxante e em poucos minutos ela começou a cochilar.

De repente, Kathy sentou-se empertigada e olhou para o lado de George na cama. Ele ainda não fora se deitar. Então, devagar, virou a cabeça e olhou para trás. Viu a imagem refletida nos painéis de espelho que cobriam a parede do teto ao chão e sentiu o ímpeto de pegar o crucifixo no closet de novo.

Esse impulso foi tão forte que Kathy estava quase fora da cama quando parou e fitou os painéis de espelho outra vez. Sua imagem pareceu ganhar vida e ela conseguiu ouvir o próprio reflexo dizer: "Não faça isso! Você vai destruir a todos!".

Quando George subiu para o quarto, encontrou Kathy dormindo. Ele ajustou as cobertas em volta da esposa, depois foi até a mesa de cabeceira e tirou a Bíblia da gaveta. Apagou seu abajur e saiu do quarto em silêncio.

George voltou para sua poltrona na sala de estar, abriu a Bíblia e começou no início, no Gênesis. Neste primeiro livro sobre as revelações de Deus, ele se deparou com versos que o levaram a refletir sobre seus problemas. Leu um desses em voz alta, para si mesmo: "Então o Senhor Deus disse à serpente: Porquanto fizeste isto, maldita serás mais que toda a fera, e mais que todos os animais do campo: sobre o teu ventre andarás, e pó comerás todos os dias da tua vida".

George estremeceu. A serpente é o Diabo, pensou. Então sentiu uma rajada de ar quente no rosto e levantou o rosto do livro sagrado, em um movimento abrupto. As chamas da lareira estavam tentando alcançá-lo!

George saltou da poltrona e recuou um passo. O fogo que ele deixara morrer voltara à vida rugindo, e as chamas preenchiam toda a lareira. Ele podia sentir o calor escaldante. Então foi cutucado nas costas por um dedo gélido.

George se virou. Não havia nada ali, mas podia sentir uma corrente de ar. Podia quase vislumbrá-la na forma de uma névoa fria descendo a escada para o corredor!

Agarrando-se à Bíblia, George subiu correndo a escada até o quarto, sendo envolvido pelo frio conforme corria. Ele parou na soleira do quarto do casal: o cômodo estava quente. Ele outra vez foi atingido pelos dedos gélidos.

George disparou para o quarto de Missy e escancarou a porta. As janelas estavam abertas, o ar abaixo de zero se derramando quarto adentro.

George arrancou a filha da cama. Ele podia sentir que seu corpinho estava gelado e trêmulo. Disparando para fora do cômodo, ele voltou a correr para o próprio quarto e colocou Missy embaixo dos cobertores. Kathy acordou.

"Esquente ela!", gritou George. "Missy está congelando!"

Sem hesitar, Kathy cobriu a menininha com o próprio corpo. George correu para fora do quarto e subiu ao terceiro andar.

As janelas do quarto de Danny e Chris também estavam escancaradas. Os meninos estavam dormindo, mas completamente enrolados nos cobertores. Ele pegou os dois nos braços e cambaleou escada abaixo até o quarto de casal.

Os dentes de Danny e Chris batiam de frio. George colocou os meninos na cama e entrou embaixo dos cobertores, cobrindo o corpo dos filhos com o seu.

Todos os Lutz estavam deitados em só uma cama, as três crianças se aquecendo devagar, os pais esfregando suas mãos e seus pés. Demorou quase meia hora para que a temperatura corporal dos filhos voltasse ao normal. Foi então que George se deu conta de que ainda segurava a Bíblia. Sabendo que fora mais do que avisado, jogou o livro no chão.

AMITYVILLE
JAY ANSON

10 DE JANEIRO

21

Na manhã de sábado, a mãe de Kathy recebeu um telefonema desesperado da filha: "Mãe, preciso de você agora mesmo". Quando a sra. Conners tentou perguntar por telefone o que acontecera, Kathy disse apenas que não tinha como explicar: a mãe teria que ver com os próprios olhos. Joan pegou um táxi de East Babylon até a casa em Amityville.

George abriu a porta da frente e subiu depressa com a sogra até o quarto de casal. Ao voltar para baixo, pediu que Danny, Chris e Missy terminassem o café da manhã. Quando saiu da cozinha para se juntar outra vez às duas mulheres no andar de cima, as crianças permaneceram calmas e comportadas, estranhamente obedecendo a ordem do pai. Apesar disso, julgando pela maneira como devoraram o café da manhã, ficou evidente que haviam se recuperado da experiência congelante da noite anterior.

Quando George entrou no quarto, a sogra examinava Kathy, que estava deitada nua na cama, sob o roupão aberto. Kathy observava enquanto a mãe passava a ponta dos dedos nos feios vergões avermelhados, que se estendiam da parte de cima da linha dos pelos pubianos até a parte inferior dos seios. As marcas eram de um vermelho vivo, como se Kathy tivesse sido queimada por um ferro quente diagonalmente ao longo do corpo.

"Ai!", se queixou a mãe, se retraindo e afastando o dedo de um dos vergões na barriga da filha. "Acabei de me queimar!"

"Eu disse para tomar cuidado, mamãe!", pediu Kathy. "Aconteceu o mesmo com George!"

A mãe de Kathy olhou para o genro, que assentiu.

"Tentei passar pomada nas queimaduras, mas nem isso ajudou. O único jeito de tocar é usando luvas."

"Você chamou um médico?"

"Não, mãe", respondeu Kathy.

"Ela não quis um médico", intercedeu George. "Ela só queria você."

"Isso dói, Kathy?"

Assustada, ela começou a chorar. George respondeu pela esposa. "Parece que não. Só quando toca."

A mãe de Kathy pousou uma das mãos na cabeça da filha, que soluçava, fazendo cafuné nos cabelos.

"Minha pobrezinha", disse. "Não se preocupe mais, estou aqui. Tudo vai ficar bem." Ela se inclinou e beijou o rosto marejado de Kathy, antes de fechar o roupão com cuidado, sobre o corpo inflamado da filha. Em seguida, se empertigou. "Vou ligar para o dr. Aiello."

"Não!", gritou Kathy, fitando com olhos arregalados o marido. "George!"

Ele estendeu a mão para impedir a sra. Conners.

"O que você vai dizer a ele?"

Joan parecia confusa.

"O que você quer dizer?", perguntou. "Dá para ver que o corpo dela está todo queimado."

George insistiu. "Mas como vai explicar a ele? Nós nem sabemos como isso aconteceu. Ela simplesmente acordou assim. O médico vai achar que estamos malucos!"

Ele hesitou. Se contasse à sogra mais sobre o que se passara durante a noite, teria que revelar os acontecimentos demoníacos que estavam se manifestando pela casa. Considerando o obstinado passado religioso da sra. Conners, George sabia que

Joan insistiria para que Kathy e as crianças fossem embora até que ela conseguisse conversar com seu padre. George conhecia o clérigo e sabia que era muito parecido com o confessor idoso da igreja São Martinho de Tours: ingênuo quando se tratava de qualquer coisa além das simples tarefas paroquiais. Na verdade, George teria recebido bem um padre, mas não o de East Babylon. Sem falar que esperava notícias de George Kekoris, o investigador psíquico, para breve.

"Kathy precisa descansar", decidiu, por fim. "As marcas parecem estar mais claras agora do que antes. Talvez desapareçam logo." Ele estava pensando nos sulcos no rosto da esposa.

"É, mamãe", concordou Kathy, também temendo envolver a mãe ainda mais. "Vou descansar mais um pouco. Você pode ficar comigo?"

A mãe de Kathy encarou a filha e George. Esses dois estão me escondendo alguma coisa, pensou. Teria adorado contar a Kathy que nunca gostou daquela casa, que sempre se sentira desconfortável ao colocar os pés ali. Simplesmente não confiava no número 112 da Ocean Avenue. Ao olhar para trás, hoje a sra. Joan Conners sabe por quê.

George deixou as duas no quarto e desceu para a cozinha. Danny, Chris e Missy tinham acabado de tomar café e até tirado a mesa. Quando ele apareceu, foi recebido por seis olhares indagadores.

"A mamãe está bem", George garantiu. "A vovó vai ficar com ela."

Ele pousou a mão na cabeça de Missy e virou a pequena na direção da porta.

"Vamos, pessoal, vamos dar uma voltinha de carro", disse. "Temos que comprar algumas coisas no mercado e quero parar na biblioteca."

Depois que George saiu com as crianças, Joan deixou a filha sozinha por alguns minutos e desceu até a cozinha para ligar para Jimmy. O filho iria querer saber por que ela fora para a casa de Kathy com tanta pressa. Jimmy tinha proposto levar a mãe de carro até a casa de Kathy, mas a sra. Conners pediu para o filho ficar, caso ela precisasse de alguma coisa da casa.

Pelo telefone, ela comentou com Jimmy que Kathy estava apenas com cólicas e que voltaria a ligar mais tarde, quando estivesse prestes a ir embora. Jimmy não acreditou na mãe e disse que gostaria de ver a irmã, junto com Carey. Ele *não* deveria ir, gritou a mãe, nem deveria levar Carey. Joan não queria que boatos sobre a família ser meio louca chegassem até os ouvidos dos sogros do filho.

Deitada na cama, Kathy podia ouvir a mãe no andar de baixo, gritando com o irmão ao telefone. Ela suspirou e abriu o roupão mais uma vez para olhar as marcas vermelhas e ardentes. Os vergões continuavam ali, mas pareciam mais claros. Ela então tocou um dos cortes sob o seio direito: o dedo pousou sobre a marca feia. Kathy teve a impressão de que a dor não foi tão intensa. Era mais como colocar o dedo em água muito quente. Ela suspirou de novo.

Estava prestes a fechar o roupão quando sentiu que alguém contemplava sua nudez. A sensação dessa presença vinha bem de trás dela, mas Kathy não tinha coragem de se virar e olhar. Sabia que a parede com os painéis de espelho estava ali e temia ver o reflexo de algo terrível. Paralisada de medo, nem sequer era capaz de levantar os braços e cobrir o corpo com o roupão. Ela permaneceu assim, com o corpo completamente exposto, os olhos bem fechados, retraindo-se por dentro, esperando pelo toque desconhecido.

"Kathy! O que você está fazendo?! Você vai pegar um tremendo resfriado!" Era sua mãe, de volta da cozinha.

Mesmo depois que os vergões avermelhados desapareceram, a sra. Conners não quis deixar a filha sozinha. Quando George voltou com as crianças, a sogra argumentou que a família toda deveria abandonar o número 112 da Ocean Avenue. *Ele* poderia ficar, se quisesse, mas Joan fazia questão de que Kathy e seus netos fossem embora.

A essa altura, Kathy estava dormindo no andar de cima e, depois do último incidente, George não quis acordá-la.

"Deixe que ela durma um pouco mais", pediu. "Vamos decidir sobre ir para sua casa depois."

A sogra concordou com relutância, fazendo com que o genro prometesse ligar para ela no exato minuto em que a filha acordasse.

"Se não fizer isso, George, eu vou voltar!", alertou ela. Ele chamou um táxi e ela voltou para East Babylon às 16h.

Na biblioteca de Amityville, George conseguira fazer uma inscrição temporária e havia retirado um livro — sobre bruxas e demônios. Depois que a sogra foi embora, ele sentou sozinho na sala de estar, concentrado na leitura sobre o Diabo e suas obras.

Passava das 20h quando terminou o livro emprestado. Durante a tarde, a sogra preparara espaguete com almôndegas, que George esquentou para o jantar. Danny, Chris e Missy comeram enquanto George continuava sua leitura. Na última vez em que fora ver como a esposa estava, Kathy se mexera um pouco e ele chegou a pensar que ela estava prestes a acordar do seu mais que merecido descanso. No momento ele estava na cozinha, e as três crianças assistiam à televisão na sala de estar.

George fizera anotações durante a leitura e agora retomava os apontamentos. No bloquinho havia uma lista de demônios, com nomes de que ele nunca tinha ouvido falar. George tentou pronunciar em voz alta e as palavras rolaram de maneira estranha pela sua língua. Então decidiu ligar para o padre Mancuso.

O padre ficou surpreso ao saber que os Lutz continuavam no número 112 da Ocean Avenue.

"Achei que vocês iam deixar a casa", disse. "Eu deixei claro que foi uma sugestão dos chanceleres."

"Eu sei, padre, eu sei", respondeu George. "Mas agora acho que sei como dar um jeito na situação." Ele pegou o livro de cima da mesa. "Estive lendo sobre como as bruxas e os demônios agem..."

Pelo amor de Deus, pensou Mancuso, estou lidando com uma criança inocente. A casa da família está a um passo de desmoronar e ele está falando sobre bruxas...

"E aqui diz que, se você realizar um encantamento e repetir o nome desses demônios três vezes, pode evocar eles", prosseguiu George. "Tem um ritual aqui que mostra exatamente o que fazer. Iscaron, Madeste!", George começou a entoar. "Esses são os nomes dos demônios, padre..."

"Conheço bem!", exclamou o padre Mancuso.

"Depois tem Isabo! Erz, erz... este é difícil de pronunciar. Erzelaide. Essa é um bruxa que está ligada ao vodu. E Eslender!"

"George!", gritou o sacerdote. "Pelo amor de Deus! Não evoque esses nomes de novo! Nem agora! Nem nunca!"

"Por que, padre?", protestou George. "Estão bem aqui neste livro. O que tem de errado em..."

O telefone ficou mudo na mão de George. Houve um gemido espectral, um estalo estridente e depois apenas o som de uma ligação interrompida. Será que o padre Mancuso desligou na minha cara?, perguntou-se George. E o que aconteceu com o tal de Kekoris?

"Era a minha mãe?"

George se virou e viu Kathy parada na soleira da porta. Já sem o roupão, com os cabelos penteados, calças e suéter. Seu rosto estava um pouco corado.

George balançou a cabeça. "Como está se sentindo, querida?", perguntou. "Dormiu bem?"

Kathy levantou o suéter, revelando o umbigo.

"As marcas se foram." Ela passou a mão pelo corpo. "Não estão mais aqui." Sentou-se à mesa. "Onde estão as crianças?"

"Estão assistindo à televisão", respondeu George, tomando as mãos da esposa. "Você quer ligar para sua mãe agora?"

Kathy concordou. Estava se sentindo estranhamente relaxada, quase sensual. Desde que tivera a impressão de ser observada na cama, estava em um estado de languidez, como se estivesse saciada sexualmente. Essa sensação surgiu enquanto cochilava, em devaneio, tendo visões desconexas de que estava fazendo amor com alguém. Não era George...

Kathy discou o número da mãe, e George foi dar uma olhada nas crianças na sala de estar. Ele ouviu o estrondo de um trovão. Ao olhar pelas janelas, avistou as primeiras gotas de chuva atingirem os vidros. Em algum lugar ao longe, o clarão de um raio atingiu a escuridão e de novo, alguns instantes depois, ecoou outro estrondo de trovão. George conseguia distinguir o contorno das árvores oscilando com as rajadas, que iam ficando mais fortes.

Kathy entrou na sala.

"Mamãe disse que está caindo um dilúvio por lá", comentou. "Ela pediu que fôssemos de van, para não ter que fazer Jimmy nos buscar."

A chuva caía com muito mais intensidade agora, açoitando com força as janelas e as paredes externas.

"Pelo barulho da chuva, acho que ninguém vai a lugar nenhum neste instante", disse George.

Antes de sair do quarto, Kathy abrira as janelas alguns centímetros para arejar o cômodo. Mesmo que as frestas fossem pequenas, com a tempestade a caminho, ela não queria dar brecha para a água entrar.

"Danny", chamou. "Corra até meu quarto e feche bem as janelas. Ok?"

George correu para fora para buscar Harry. Apesar de ser açoitado pela chuva gelada e pelo vento cortante, George podia sentir que a frente fria estava passando. A chuva lavaria a sujeira da neve acumulada. Contudo, havia um problema bem ali no rio, já que uma chuva tão intensa poderia aumentar o volume de água congelada, fazendo transbordar por cima dos diques.

George voltou com Harry, que balançava o rabo cheio de gratidão, bem no instante em que Danny, ainda no andar de cima, gritou de dor. Kathy disparou pela escada na frente de George, correndo até o quarto de casal. Danny estava junto à janela, com os dedos da mão direita presos. Com a mão esquerda ele tentava empurrar a pesada moldura de madeira para cima.

George empurrou Kathy para o lado e correu até o garoto, que gritava e tentava soltar os dedos. George forçou para cima a janela, que não cedeu. Então deu uma batida na moldura mas, em vez de desemperrar, a janela vibrou, machucando Danny ainda mais. Frustrado, George se enfureceu e começou a xingar, vociferando palavrões para os invisíveis e desconhecidos inimigos.

De repente a janela desemperrou sozinha e subiu alguns centímetros, soltando Danny. O menino agarrou os dedos com a outra mão, segurando e gritando histérico pela mãe.

Kathy tomou a mão machucada mas, como Danny não queria abrir, ela teve que gritar com o filho. "Deixe eu *ver*, Danny! Abra a mão!"

Desviando os olhos, o menino esticou o braço. Kathy soltou um grito quando viu o estado dos dedos — com exceção do polegar, todos estavam estranhamente achatados. Ainda mais assustado com o grito angustiado da mãe, Danny puxou a mão de volta.

George explodiu. Correndo outra vez como um possesso de cômodo em cômodo, berrou ofensas, desafiando aquilo que estava atormentando sua família a se mostrar e lutar. Havia uma tempestade se desenrolando dentro e fora do número 112 da Ocean Avenue. Kathy corria atrás do marido pedindo que chamasse um médico para Danny.

A fúria de George logo passou por conta própria e, de repente, ele percebeu que seu filho estava machucado e precisando de cuidados médicos. Correu até o telefone na cozinha e tentou ligar para o médico da família de Kathy, John Aiello, só que a linha estava muda. Como ele viria a descobrir, a tempestade tinha derrubado um poste telefônico, isolando ainda mais os Lutz em sua casa.

"Vou ter que levar o Danny para um hospital", gritou George. "Coloque uma jaqueta nele!"

O Brunswick Hospital Center fica na Broadway, em Amityville, não mais do que 1,6 km da casa dos Lutz. Porém, como os ventos sopravam com a força de um furacão e varriam a costa sul de Long Island, George demorou quase quinze minutos para chegar lá.

O plantonista ficou surpreso com o estado dos dedos de Danny, que estavam achatados da cutícula até a segunda articulação. Apesar disso, embora parecessem estar arruinados, não estavam quebrados, e nenhum osso nem cartilagem tinham sido esmagados. O plantonista enfaixou bem, passou a George um pouco de aspirina infantil para dar a Danny e sugeriu que voltassem para casa. Não havia mais nada que pudesse fazer.

Àquela altura, o menino estava mais assustado com a aparência dos dedos do que com a dor. Enquanto George dirigia para casa, o menino manteve a mão rígida junto ao peito, chorando e se queixando. Mais uma vez, George demorou quase vinte minutos para voltar para o número 112 da Ocean Avenue. Os ventos açoitavam a porta da frente da casa e ele teve dificuldades para fechá-la depois de entrar.

Kathy tinha posto Chris e Missy na própria cama e estava esperando na sala de estar. Ela pegou o filho mais velho no colo. Danny enfim adormeceu de tanto chorar, exausto pela dor excruciante e pelo medo.

George carregou o filho até o quarto do casal. Tirando apenas os sapatos do menino, colocou Danny embaixo das cobertas, ao lado do irmão e da irmã. Em seguida, Kathy e ele se sentaram nas poltronas ao lado das janelas e contemplaram a chuva golpear as vidraças.

Passaram o resto da noite tirando cochilos agitados. Como era impossível tentar chegar à casa da mãe de Kathy ou a qualquer outro lugar, precisaram ficar em casa, mas se mantiveram alertas a todo perigo que pudesse ameaçar a família. Os dois pegaram no sono conforme o amanhecer se aproximava.

Às 6h30, George despertou com a chuva caindo em seu rosto. Por um instante, achou que estava do lado de fora — mas não, continuava dentro de casa, em sua poltrona ao lado da janela. Levantando-se de um pulo, viu que todas as janelas do quarto estavam escancaradas, algumas molduras arrancadas dos caixilhos. Então ouviu o vento e a chuva entrando em outras partes da casa e disparou para fora do quarto.

Todos os cômodos em que entrara estavam no mesmo estado — vidraças quebradas, as portas do segundo e do terceiro andar arrancadas das dobradiças —, embora todas tivessem sido fechadas e trancadas! Os Lutz tinham dormido durante o que deve ter sido uma barulheira terrível.

AMITYVILLE
JAY ANSON

11 DE JANEIRO

22

Embora os Lutz morassem no número 112 da Ocean Avenue há 25 dias, aquele domingo foi um dos piores.

De manhã, a família descobriu que a forte chuva e o violento vento da noite anterior tinham virado a casa de cabeça para baixo. A água da chuva manchara paredes, cortinas, móveis e tapetes, do primeiro ao terceiro andar. Dez das janelas tinham vidros quebrados, e muitas apresentavam trancas completamente tortas, o que tornava impossível uma vedação perfeita. As fechaduras das portas da sala de costura e do quarto de brinquedos foram retorcidas e arrancadas das molduras de metal, sem que pudessem ser fechadas de jeito nenhum. Se os Lutz planejavam partir para um lugar mais seguro, precisaram adiar a ideia para que pudessem deixar a casa em ordem e em segurança.

Na cozinha, alguns armários estavam ensopados e empenados. A pintura estava lascada nos cantos de quase todos os armários. Kathy ainda não pensara nesses problemas: estava ocupada demais retirando quase dois centímetros de lama acumulada nos ladrilhos do chão. Esperava conseguir secar o piso antes que os ladrilhos se soltassem.

Danny e Chris carregavam dois grandes rolos de papel toalha e iam de cômodo em cômodo, secando as paredes. Quando tinham que alcançar um lugar mais alto, usavam uma escadinha de cozinha. Missy ia atrás dos meninos, pegando e jogando as toalhas descartadas em um grande saco de lixo.

George retirou todas as cortinas e persianas da casa e levou as que poderiam ser lavadas na máquina para a lavanderia no porão. Já as que precisariam ser lavadas a seco foram colocadas em uma pilha na sala de jantar, o lugar mais seco da casa.

Os Lutz estavam estranhamente silenciosos enquanto trabalhavam ao longo da manhã e da tarde. O mais recente desastre apenas serviu para que ficassem mais determinados a permanecer no número 112 da Ocean Avenue. Ninguém comentou, mas George, Kathy, Danny, Chris e Missy Lutz estavam agora preparados para lutar contra qualquer força, natural ou sobrenatural.

Até mesmo Harry estava demonstrando esse espírito. O cão estava preso à sua guia, andando de um lado para o outro na lama, o rabo erguido, os dentes à mostra. Os rosnados e os roncos que saíam do fundo do peito eram fortes sinais de que rasgaria em pedacinhos o primeiro estranho ou a primeira coisa desconhecida. De vez em quando, Harry parava de andar, encarava o abrigo de barcos e soltava um uivo como o de um lobo, e isso causava calafrios em todos os moradores da Ocean Avenue.

Quando George terminou de retirar as cortinas ensopadas, começou a trabalhar nas janelas. Primeiro cortou pesadas chapas de plástico para cobrir os vidros quebrados, que prendeu aos caixilhos com fita adesiva branca. Não era nada bonito de se ver, nem de dentro nem de fora, mas pelo menos as chapas mantinham a garoa contínua do lado de fora.

A previsão de George tinha se confirmado: a temperatura subira com a tempestade e estava acima de zero. Incontáveis árvores e arbustos ao longo da Ocean Avenue tinham sofrido estragos e, ao olhar para a South Ireland Place, George conseguiu notar que também havia uma série de galhos quebrados espalhados pela rua. No entanto, ele percebeu que as casas ao lado da sua não tinham janelas quebradas nem qualquer outro estrago na fachada. Apenas a minha casa, pensou George. Que maravilha!

As fechaduras das janelas e das portas foram um problema mais complicado. George não tinha as ferramentas adequadas para substituir os trincos das janelas, então usou um alicate para torcer as peças de metal quebradas. Em seguida martelou pregos reforçados nas bordas dos caixilhos de madeira e desafiou seus inimigos invisíveis: "Vamos ver se vocês conseguem arrancar isso, seus filhos da puta!".

As fechaduras das portas da sala de costura e do quarto de brinquedos foram todas retiradas. No porão, ele encontrou algumas tábuas de pinheiro de 2,5 cm de espessura, que eram perfeitas para suas necessidades. Como as portas se abriam para o corredor, George pregou as tábuas em diagonal, de maneira cruzada, em ambas as portas. Qualquer força que tenha permanecido nos dois cômodos misteriosos não tinha mais como sair.

George Kekoris enfim telefonou, dizendo que gostaria de ir à casa e passar uma noite. Havia apenas um problema: visto que Kekoris não estava com nenhum equipamento, o Instituto de Pesquisas Psíquicas teria que considerar aquela visita como informal. O especialista teria que tirar conclusões sem os rigorosos controles exigidos para uma avaliação científica.

George disse que isso não importava, pois queria apenas uma confirmação de que todos os estranhos acontecimentos que envolviam a casa não eram frutos da imaginação da família. Kekoris perguntou se algum sensitivo já fizera uma visita, mas George não compreendeu o que o outro queria dizer com aquele termo. O investigador de campo disse que conversariam sobre isso quando ele chegasse para a visita.

Antes de George desligar, Kekoris perguntou se havia algum animal de estimação na casa. George respondeu que tinha Harry, um cão de guarda domesticado. Kekoris disse que isso era bom, porque animais eram muito sensitivos em relação a fenômenos psíquicos. George voltou a ficar confuso — mas pelo menos teve a primeira evidência palpável de que a ajuda estava a caminho.

Às 15h, o padre Ryan deixou a Chancelaria, em Rockville Centre. O chanceler estava preocupado com a saúde mental do padre Mancuso em relação ao caso dos Lutz e, já que uma de suas obrigações na diocese era auxiliar os presbitérios, concluiu que seria um bom momento para visitar o presbitério de Long Island.

Ele encontrou o padre barbudo se recuperando de seu terceiro ataque de gripe nas últimas três semanas. O padre Ryan comentou que sabia da estima que o bispo tinha pelo padre Mancuso como clérigo. Ainda assim, queria saber se o padre Mancuso achava que sua aflição poderia ter causas psicossomáticas. Será que não haveria uma influência de seu estado emocional nos ataques da doença?

O padre Mancuso afirmou que estava em perfeito juízo, que continuava acreditando que poderosas forças malignas eram responsáveis pela sua debilitação. Estava disposto a passar por um exame psiquiátrico administrado por qualquer especialista escolhido pelos chanceleres.

O chanceler não fez mais nenhuma exigência para que o padre Mancuso permanecesse afastado do número 112 da Ocean Avenue, mas declarou que a decisão teria que ser pessoal.

O padre Mancuso ficou surpreso e assustado, pois compreendeu que estava sendo testado: se aceitasse a responsabilidade pelos Lutz, receberia a aprovação dos chanceleres. Caso contrário, eles entenderiam. No entanto, o padre Mancuso não pretendia se envolver tanto, de jeito nenhum: ele se sentia profundamente tocado pelas aflições e pelos problemas dos Lutz e não poderia, como padre, simplesmente se sujeitar à própria covardia, mas *estava* aterrorizado.

No fim das contas, o padre Mancuso disse que, antes de tomar uma decisão sobre os Lutz e sobre os próprios atos, gostaria de conversar com o bispo. O chanceler Ryan reconheceu a urgência daquele pedido e disse que entraria em contato com o superior mais tarde, naquele mesmo dia. Ele ligaria para o padre Mancuso naquela noite.

A mãe de Kathy telefonou por volta das 18h, querendo saber se a família passaria a noite ao lado dela. Kathy ficou encarregada de dizer que não: a casa ainda estava uma bagunça depois da tempestade, e ela teria muita coisa para lavar na manhã seguinte. Além disso, Danny e Chris tinham aula e já tinham perdido muitos dias letivos.

A sra. Conners concordou com relutância, mas fez Kathy prometer que ligaria se qualquer coisa fora do comum acontecesse: nesse caso, ela mandaria Jimmy até lá imediatamente. Depois que desligou, Kathy perguntou para George se eles tinham feito a coisa certa.

"Nós vamos aguentar até o fim", respondeu o marido. "Antes das crianças irem para a cama, eu vou fazer uma ronda pela casa com o Harry. Kekoris disse que cães são muito sensitivos com coisas assim."

"Tem certeza de que não vai irritar essas coisas de novo?", perguntou Kathy. "Você sabe o que aconteceu quando andamos pela casa com o crucifixo."

"Não, não, Kathy, isso é diferente. Só quero ver se o Harry consegue farejar ou ouvir alguma coisa."

"E se ele encontrar alguma coisa? O que você pretende fazer?"

Ainda arisco, o cão teve que ser mantido na guia. Harry era muito forte e George precisou manter a pegada para evitar ser arrastado. "Vamos, garoto", atiçou ele, "fareje alguma coisa para mim." Eles desceram até o porão.

George retirou a guia da coleira de Harry, que se lançou para frente. O cachorro examinou o porão, farejando, às vezes raspando alguns locais ao longo das paredes. Quando o cachorro chegou perto do armário embutido que escondia o quarto vermelho, outra vez farejou a base dos painéis. Então enfiou o rabo entre as pernas e se agachou nas patas traseiras. Harry começou a ganir, virando a cabeça para George.

"O que foi, amigão?", perguntou George. "Você farejou alguma coisa aí?" Os ganidos ficaram mais frenéticos e Harry começou a rastejar para trás. Então latiu para George, se levantou e subiu correndo a escada do porão. Esperou no patamar, tremendo, até George subir e abrir a porta para ele.

"O que aconteceu?", perguntou Kathy.

"O Harry está com medo de se aproximar do quarto secreto", respondeu George, que não voltou a colocar a guia, mas andou com o cão pela cozinha, pela sala de jantar, pela sala de estar e pela varanda coberta. O cachorro se animou e farejou com entusiasmo todos os cantos de cada cômodo. No entanto, quando George tentou levá-lo para cima, Harry não arredou pé do primeiro degrau da escada.

"Vamos", encorajou George. "Qual é o problema com você?" O cachorro colocou uma pata no degrau seguinte, mas não avançou além desse ponto.

"Eu consigo levar o Harry para cima!", gritou Danny. "Ele vai me seguir!" O garoto passou pelo cachorro e gesticulou para ele.

"Não, Danny", disse George. "Você fica aqui. Eu cuido do Harry." George esticou a mão para baixo e puxou a coleira do cachorro. Harry se moveu com relutância, então disparou escada acima.

O cão andou com desenvoltura pelo quarto principal e pelo quarto de vestir. Só quando se aproximou do quarto de Missy ficou para trás. George colocou as duas mãos nas ancas do cachorro e empurrou, mas Harry não quis entrar. Ele também se comportou assim na frente da sala de costura bloqueada pelas tábuas. Ganindo e choramingando de medo, tentou se esconder atrás de George.

"Mas que droga, Harry", reclamou George, "não tem ninguém ali dentro. O que está incomodando você?"

Assim que entrou no quarto dos meninos no terceiro andar, Harry pulou na cama de Chris. George foi atrás do cachorro que, enxotado do quarto, seguiu direto para a escada, passando pelo quarto de brinquedos sem nem sequer olhar para o cômodo. George não conseguiu alcançá-lo.

George chegou lá embaixo depois do cachorro.

"O que aconteceu?", perguntou Kathy.

"Não aconteceu *nada*, foi isso o que aconteceu", respondeu ele.

O padre Mancuso confirmou a reunião com o secretário do bispo. O próprio prelado telefonou e sugeriu que, se o padre estivesse se sentindo bem para sair, deveria comparecer à diocese de Rockville Centre na manhã seguinte.

O padre Mancuso disse que a diocese ficava a apenas quinze minutos de distância e que estava se sentindo bem e sem febre. Embora a previsão fosse de muito vento, a temperatura prometia ficar acima de zero. O padre Mancuso disse ao secretário do bispo que estaria lá, salvo algum imprevisto.

Na casa dos Lutz, conforme o dia se aproximava do fim, a família se reuniu no quarto principal outra vez. As crianças estavam na cama, e George e Kathy, sentados nas poltronas ao lado das janelas deterioradas. O quarto parecia quente demais, e os olhos de todos tinham começado a arder. George e Kathy acharam que a ardência se devia ao cansaço. Um a um, eles adormeceram — primeiro Missy, depois Chris, Danny, Kathy e por fim George. Em dez minutos, todos dormiam como pedras.

Mas pouco tempo depois George acordou, sacudido pela esposa. Ela e as crianças estavam paradas diante de sua poltrona, com lágrimas nos olhos.

"Qual é o problema?", resmungou, sonolento.

"Você estava berrando, George", respondeu Kathy. "E não tinha jeito da gente acordar você!"

"É, papai!", gritou Missy. "Você fez a mamãe chorar!"

Ainda meio adormecido, sentindo-se quase dopado, George ficou completamente confuso.

"Machuquei você, Kathy?"

"Oh, não, querido!", negou ela. "Você não encostou em mim."

"O que aconteceu então?"

"Você ficou berrando: 'Estou me despedaçando!'. E a gente não conseguia acordar você!"

AMITYVILLE
JAY ANSON

12 DE JANEIRO

23

George não conseguia entender por que Kathy mencionou que ele estava gritando "Estou me despedaçando!"? Ele sabia muito bem que tinha dito: "Estou *me descolando*".

Agora se lembrava de que estava sentado quando, de repente, sentiu que mãos fortes erguiam e viravam sua poltrona devagar. Sem conseguir se mexer, George viu a figura com capuz que vislumbrara pela primeira vez na lareira, a metade arruinada do rosto o encarando. As feições desfiguradas ficaram claras para George. "Deus me ajude!", gritou. Viu então o próprio rosto sob o capuz branco, como se rasgado ao meio. "Estou me descolando!", berrou George.

Ainda atordoado, começou a discutir com Kathy.

"Sei bem o que eu disse", resmungou. "Não venha me dizer o que falei!"

Todos deram um passo para trás. Ele continua dormindo, pensou Kathy, e está tendo um pesadelo.

"Tem razão, George", disse ela, com delicadeza. "Você não disse nada disso." Ela puxou a cabeça do marido para o peito.

"Papai, venha para meu quarto", se intrometeu Missy. "Jodie disse que quer falar com você!"

A preocupação na voz da filha rompeu a apatia. Ele despertou e ficou em pé de um pulo, quase derrubando Kathy.

"Jodie? Quem é Jodie?"

"É o amigo dela", respondeu Kathy. "Sabe... já contei que ela inventa seres imaginários. Não dá para ver Jodie."

"Oh, dá, sim, mamãe", protestou Missy. "Eu vejo ele o tempo todo. É o maior porco que já vi." Então ela correu para fora do quarto e foi embora.

George e Kathy trocaram um olhar.

"Um porco?", perguntou ele. Os dois chegaram a uma só conclusão ao mesmo tempo. "O porco está no quarto dela!" George correu atrás de Missy. "Vocês ficam aqui!", gritou para Kathy e para os garotos.

Missy estava subindo na cama quando George parou do lado de fora do quarto dela. Ele não viu Jodie nem nada parecido com um porco.

"Onde está o Jodie?", perguntou para Missy.

"Ele vai voltar logo, logo", respondeu a menininha, arrumando as cobertas na cama. "Ele teve que sair um pouquinho."

George soltou a respiração. Depois do estranho sonho com a figura encapuzada, esperava pelo pior quando ouviu a palavra "porco". Como o pescoço estava duro, ele virou a cabeça, tentando alongar, para diminuir a tensão.

"Está tudo bem!", gritou para Kathy. "O Jodie não está aqui!"

"Ele está ali, papai!"

George olhou para Missy, que apontava para uma das janelas. Seu olhar seguiu o dedo indicador da menina e ele tomou um susto. Encarando-o por uma das vidraças, havia dois olhos vermelhos e chamejantes! Nenhum rosto, apenas os olhinhos maldosos de um porco!

"Esse é o Jodie!", exclamou Missy. "Ele quer entrar!"

Alguma coisa passou depressa à esquerda de George. Era Kathy. Gritando com uma voz assustadora, ela disparou até a janela e, no mesmo movimento, pegou umas das cadeirinhas de Missy e lançou contra o par de olhos. O impacto estilhaçou a janela, e cacos de vidro choveram sobre ela.

Houve um grito animalesco de dor, um guincho estridente — e os olhos sumiram!

George correu até o que sobrou da janela do segundo andar e olhou para fora. Não viu nada lá embaixo, mas ainda podia ouvir os guinchos, que pareciam estar seguindo para o abrigo de barcos. Então o soluço aflito de Kathy chamou sua atenção, e ele se virou para a esposa.

O rosto de Kathy estampava uma expressão aterrorizante: tinha olhos selvagens e a boca contorcida. Ela tentava sufocar as palavras, mas acabou desembuchando: "Aquela coisa esteve aqui o tempo todo! Eu queria matá-lo! Eu queria matá-lo!". Então o corpo inteiro desmoronou.

George pegou e levantou a esposa, em silêncio. Carregou Kathy para o quarto do casal, Danny e Chris logo atrás. Apenas Chris viu a irmãzinha descer da cama, ir até a janela estilhaçada e acenar. Missy se afastou apenas quando George chamou do outro quarto.

De manhã, enquanto George e Kathy ainda cochilavam nas poltronas e as crianças dormiam na cama, o padre Mancuso se agasalhou e dirigiu até Rockville Centre.

Ele tremia diante no ar frio e cortante. O padre Mancuso não havia saído com muita frequência desde o começo do inverno e, depois de concluir o trajeto, sentia um pouco de tontura. Ficou agradecido quando o secretário do bispo ofereceu uma xícara de chá. O jovem religioso conversava com frequência com o padre Mancuso e admirava a mente legalista do sacerdote mais velho. Os dois conversaram até o bispo avisar que estava pronto.

A reunião foi breve, breve demais para o que o padre Mancuso tinha planejado. O prelado, um clérigo grisalho e venerável, era um moralista de notória reputação. Estava com o arquivo dos chanceleres sobre o caso Lutz em cima da mesa mas, para a surpresa do padre Mancuso, consultava o relatório com relutância e cautela.

Firme ao exortar que o padre deveria se afastar dos Lutz, o bispo mencionou que já tinha designado outro clérigo para dar continuidade à investigação.

O padre Mancuso ficou sem saber o que dizer.

"Talvez você devesse procurar um psiquiatra", sugeriu o bispo.

Ao ouvir essas palavras, o padre Mancuso ficou irritado.

"Irei se eu puder fazer a escolha."

O bispo registrou o descontentamento na postura do visitante e assumiu um tom de voz mais suave.

"Olhe, Frank, estou fazendo isso pelo seu bem. Você está obcecado com a ideia de que há uma influência demoníaca. Tenho a impressão de que boa parte disso gira ao redor de sua personalidade. Pode ou não ser isso."

Levantando-se, o bispo contornou na mesa, foi até a cadeira do padre Mancuso e colocou a mão em seu ombro.

"Deixe outra pessoa assumir o fardo", pediu. "Essa situação está afetando sua saúde. Tenho muita coisa para você fazer aqui. Não quero perder você, padre. Está entendendo?"

Na manhã de segunda-feira, Kathy estava determinada a mandar Danny e Chris para a escola. Prestes a desmoronar, ela reuniu coragem e fez o que deveria como mãe. Enquanto George dormia, ela acordou os meninos, serviu o café da manhã e levou as três crianças na van.

George estava acordado quando ela voltou com Missy. Enquanto tomava café com o marido, notou que ele continuava em um estado de certa apatia depois do incidente da noite anterior. Por enquanto, Kathy estava determinada a ser forte pelos dois. Ela conversou com George sobre assuntos cotidianos, mencionando que ele precisava consertar a janela quebrada no quarto de Missy. Mais tarde haveria tempo para conversar sobre a decisão da mudança do número 112 da Ocean Avenue.

No andar de cima, George tinha acabado de pregar madeira compensada por cima do caixilho quebrado, para proteger o quarto das intempéries, quando Kathy chamou da cozinha, dizendo que alguém do escritório em Syosset queria falar com ele ao telefone. O contador da empresa lembrou George que o auditor da Receita Federal chegaria ao meio-dia.

Sem querer sair de casa, George pediu ao contador que se encarregasse pessoalmente da situação, mas o funcionário recusou. Era responsabilidade de George determinar como os impostos deveriam ser pagos. George hesitou, certo de que algo aconteceria se saísse, mas Kathy sinalizou que ele deveria ir.

Depois que o marido desligou o telefone, Kathy disse que a reunião não demoraria muito. Ela e Missy ficariam bem enquanto ele estivesse fora. Ela ligaria para um vidraceiro em Amityville e pediria que ele fizesse uma visita para consertar as vidraças quebradas da janela do quarto de Missy e da casa inteira. Obediente, George concordou com a esposa e partiu para Syosset. Nenhum entre eles mencionara o nome de Jodie.

No momento em que Kathy servia o almoço de Missy, George Kekoris ligou. Lamentava muito por não ter conseguido comparecer como prometera a George, mas acreditava que tinha apanhado uma gripe em Buffalo. O imprevisto com a doença forçou Kekoris a cancelar todos os compromissos pelo Instituto de Pesquisas Psíquicas. Porém, tinha certeza de que estaria bem no dia seguinte e planejava passar a noite de quarta-feira na casa dos Lutz.

Kathy dividia a atenção entre a explicação do especialista e o almoço de Missy. A menininha parecia estar em uma conversa secreta com alguém embaixo da mesa da cozinha. De vez em quando, Missy estendia a mão para baixo da toalha de mesa de plástico, para oferecer seu sanduíche de geleia e manteiga de amendoim. Ela parecia não perceber que a mãe observava seus movimentos.

De onde estava, Kathy podia ver que não havia nada embaixo da mesa, mas não queria perguntar à filha sobre Jodie. Por fim, Kekoris se despediu e ela desligou o telefone.

"Missy", começou Kathy, sentando-se à mesa. "Jodie é aquele anjo que você mencionou para mim?"

A menininha olhou para a mãe, a confusão estampada em seu rosto.

"Você se lembra?", continuou Kathy. "Você me perguntou se anjos podiam falar."

Os olhos de Missy se iluminaram.

"Sim, mamãe", ela assentiu. "Jodie é um anjo. Ele conversa comigo o tempo todo."

"Não entendo uma coisa. Você já viu imagens de anjos. Você não viu aqueles que penduramos na árvore de Natal?"

Missy assentiu de novo.

"Você disse que ele é um porco. Então como ele pode ser um anjo?"

Missy juntou as sobrancelhas em concentração.

"Ele diz que é, mamãe", ela assentiu com a cabeça diversas vezes. "Ele me contou."

Kathy arrastou a cadeira para mais perto de Missy.

"O que ele diz para você?"

A menininha pareceu confusa de novo.

"Você sabe o que quero dizer, Missy", Kathy pressionou a filha. "Vocês brincam juntos?"

"Oh, não", Missy balançou a cabeça. "Ele me conta sobre o menininho que costumava morar no meu quarto." Ela olhou em volta, como se alguém estivesse ouvindo. "Ele morreu, mamãe", sussurrou. "O menininho ficou doente e morreu."

"Entendi", disse Kathy. "O que mais ele contou?"

A menininha pensou por algum tempo.

"Ontem à noite, ele disse que eu iria morar aqui para sempre, para poder brincar com o menininho."

Horrorizada, Kathy colocou a mão na boca para não gritar.

A reunião com o auditor da Receita Federal não correra muito bem. O perito anulara uma dedução atrás da outra, e a única esperança de George era o recurso que o profissional informara que ele poderia solicitar. Ao menos era um adiamento temporário. Depois que o auditor foi embora, George ligou para Kathy para avisar que buscaria os meninos na escola, que ficava no caminho de casa.

Quando chegou a Ocean Avenue, 112, depois das 15h, Kathy e Missy estavam de casaco.

"Não troque de roupa, George", disse a esposa. "Vamos para a casa da mamãe agora mesmo."

George e os dois meninos lançaram um olhar para ela.

"O que aconteceu?", perguntou ele.

"Jodie disse a Missy que é um anjo, foi isso o que aconteceu." Ela começou a empurrar os garotos pela porta da frente. "Vamos dar o fora daqui."

George ergueu as mãos.

"*Espere* um minuto, está bem? O que você quer dizer com essa história de anjo?"

Kathy olhou para a filha.

"Missy, conte ao seu pai o que o porco disse."

A menininha aquiesceu.

"Ele disse que é um anjo, papai. Ele me contou."

George estava prestes a fazer outra pergunta para a filha quando foi interrompido por latidos estridentes, que vinham dos fundos da casa.

"Harry!", exclamou ele. "Esquecemos o Harry!"

Quando George e os outros chegaram, viram que Harry latia com fúria para o abrigo de barcos, correndo freneticamente em volta do canil e parando de repente, sempre que chegava ao fim da guia de aço.

"Qual é o problema, garoto?", perguntou George, acariciando o pescoço do cachorro. "Tem alguém no abrigo?" Harry se desvencilhou do carinho do dono.

"Não entre lá!", berrou Kathy. "Por favor! Vamos embora daqui agora!"

George hesitou por um momento, então se abaixou e retirou a guia da coleira de Harry. O cachorro pulou para frente com um rosnado selvagem e disparou pelo portão. Como a porta do abrigo de barcos estava fechada, o melhor que Harry conseguiu fazer foi se jogar contra ela, voltando a latir como um animal selvagem.

George estava determinado a destrancar e escancarar a porta. Só que Danny e Chris passaram correndo por ele e pularam sobre Harry, se esforçando para afastar o enorme cão.

"Não deixe ele ir lá dentro!", gritou Danny. "Ele vai morrer!"

George agarrou a coleira de Harry e forçou o cão a sentar.

"Está tudo bem!", Chris assegurava ao forte e agitado animal. "Está tudo bem, garoto!" Mas não havia jeito de Harry se acalmar.

"Vamos levar o Harry para dentro da casa", disse George, ofegante. "Se deixar de ver o abrigo, ele vai parar!"

Enquanto George arrastava Harry para dentro de casa com a ajuda dos meninos, uma van estacionou na entrada para carros. George viu que era o vidraceiro. Ele e Kathy trocaram um olhar.

"Oh, meu Deus", exclamou ela. "Esqueci complemente que tinha ligado para o vidraceiro." Os dois não contavam com aquele atraso.

O rosto rechonchudo e o sotaque forte revelavam a descendência eslava do homem.

"Imaginei que vocês precisavam dos consertos o quanto antes", disse. "Ainda mais com o tempo ruim que está fazendo. Yah", continuou, abrindo as portas traseiras da van, "é melhor consertar agora. Se tudo ficar molhado, vai ser um prejuízo maior para vocês."

"Ok, tudo bem", disse George. "Entre que vou mostrar as janelas danificadas."

"A ventania da noite passada, yah?", perguntou o homem.
"É, a ventania", respondeu George.
Eram quase 18h quando o homem terminou o serviço. Depois de raspar a massa das novas vidraças, deu um passo para trás para admirar o trabalho.
"Sinto muito, mas não consegui consertar a janela do quarto da garotinha", disse a George. "Você precisa de um carpinteiro primeiro." Recolheu as ferramentas. "Chame um, depois eu volto, yah?"
"Tudo bem", concordou George. "Vamos chamar um e você pode voltar." Enfiou a mão no bolso da calça. "Quanto ficou o serviço?"
"Não, não", protestou o homem. "Nada de dinheiro agora. Você é vizinho. Eu mando a conta, ok?"
"Ok!", exclamou George, aliviado. O dinheiro *estava* meio curto no momento.
De alguma maneira, a bondade e a gentileza do vidraceiro contribuíram para melhorar o clima da família naquela noite. Depois que ele foi embora, Kathy, que passou o serviço todo sentada na cozinha de casaco, de repente se levantou e tirou a peça. Sem dizer nada a George, começou a preparar o jantar.
"Não estou com muita fome", comentou George. "Um sanduíche de queijo quente está de bom tamanho."
Kathy preparou hambúrgueres para ela e as crianças. Enquanto montava os sanduíches, manteve os olhos em Danny e Chris, insistindo para que fizessem as lições de casa no canto da cozinha. Missy ficou na sala de estar com George, assistindo à televisão enquanto ele acendia a lareira.
O vidraceiro fora como um sopro da paz tão necessária. Afinal de contas, nada acontecera com *ele* enquanto esteve no quarto de brinquedos ou na sala de costura. Os Lutz se deram conta de que talvez estivessem fantasiando demais, que talvez estivessem entrando em pânico sem necessidade. Todos os pensamentos sobre abandonar a casa tinham desaparecido por enquanto.

O padre Mancuso era um indivíduo que desprezava valentões, fossem eles homens, animais ou o desconhecido. O padre sentia que a força que dominava o número 112 da Ocean Avenue estava se aproveitando dos seus receios e também dos temores dos Lutz. Antes de se recolher na noite de terça-feira, o padre Mancuso rezou para que a força maligna pudesse ser persuadida de alguma maneira, que soubesse que estava agindo com insanidade total. Como poderia obter satisfação a partir da dor?, ele se perguntou. O sacerdote sabia que havia apenas uma resposta: tinha que ser obra do demônio.

Apenas por precaução, George e Kathy decidiram que as crianças deveriam dormir no quarto principal de novo. Com Harry dentro de casa, no porão, Danny, Chris e Missy foram levados para a cama. George e Kathy tentaram ficar o mais confortável possível: Kathy se esticou em duas poltronas, ao passo que George insistiu que ficaria bem com uma. Ele disse à esposa que planejava ficar acordado a noite toda e dormir de manhã.

Às 3h15, George ouviu os primeiros sons de uma banda de marcha militar no andar de baixo. Dessa vez, não foi verificar. Disse para si mesmo que era tudo fruto de sua imaginação e que, quando descesse, não haveria nada para ver. Então permaneceu sentado, velando o sono de Kathy e das crianças, ouvindo os músicos desfilarem pela sala de estar, trompas e tambores rufando tão alto que o som deveria ser ouvido a um quilômetro de distância. Durante toda a parada enlouquecedora, Kathy e as crianças não acordaram.

Por fim, George deve ter pegado no sono na poltrona, porque Kathy acordou ao ouvir os gritos do marido. Ele gritava em dois idiomas diferentes, idiomas que ela nunca ouvira antes!

Ela correu até a poltrona no outro lado da cama para chacoalhar e acordar George do pesadelo.

Ele começou a gemer e, quando foi tocado pela esposa, berrou com uma voz completamente diferente: "Está no quarto do Chris! Está no quarto do Chris! Está no quarto do Chris!".

AMITYVILLE
JAY ANSON

13 DE JANEIRO

24

George garante que não estava dormindo. De sua posição na poltrona, com certeza estava com uma visão desobstruída do quarto dos meninos, no terceiro andar. Estava observando um vulto sombrio se aproximar da cama de Chris.

Ele tentou correr para afastar o filho que dormia da sombra ameaçadora, mas não conseguia se levantar da poltrona! Estava preso ao assento por uma espécie de mão firme, pousada em seus ombros. Era uma luta que George sabia que não conseguiria vencer.

A sombra pairava sobre Chris. George, desamparado, gritou: "Está no quarto do Chris!". Ninguém o ouviu.

"Está no quarto do Chris!", repetiu. Então a pressão sobre seus ombros desapareceu e George sentiu um empurrão. Seus braços se soltaram e ele pôde ver que Chris estava fora da cama, envolto pela figura sombria.

George balançou as mãos com movimentos desesperados, gritando outra vez: "Está no quarto do Chris!". Sentiu outro empurrão violento.

"George!"

Seus olhos se abriram de repente. Kathy estava inclinada sobre ele, empurrando seu peito.

"George!", exclamou ela. "Acorda!"

Ele se levantou da poltrona com um pulo.
"Ele pegou o Chris!", berrou. "Preciso subir!"
Kathy agarrou o braço dele.
"Não!", disse ela, puxando o marido de volta. "Você estava sonhando! O Chris está *aqui*!"
Ela apontou para a cama de casal. As crianças estavam embaixo das cobertas e, acordadas pelos gritos de George, agora observavam os pais.
George ainda estava agitado.
"Eu não estava sonhando, juro!", insistiu. "Eu vi o Chris sendo levantado e..."
"Você não pode ter visto", interrompeu Kathy. "Chris esteve na cama o tempo todo, bem aqui."
"Não, mamãe. Eu tive que ir ao banheiro mais cedo." Chris se sentou. "Você e o papai estavam dormindo."
"Eu não ouvi. Você usou meu banheiro?", perguntou Kathy.
"Sim. A porta estava trancada, então fui lá em cima."
George foi até o banheiro. A porta *estava* trancada.
"Lá em cima?", perguntou Kathy.
"É", respondeu Chris. "Mas eu fiquei com medo."
"Por quê?", perguntou o pai.
"Porque eu podia olhar através do chão e ver você, papai."
Os Lutz ficaram acordados o resto da noite. Apenas Missy voltou a pegar no sono. De manhã, George ligou para o padre Mancuso.

Minutos antes, o padre Mancuso tomara uma decisão: a preocupação com os filhos dos Lutz tinha vencido o medo. Sentindo que já estava na hora de parar de agir como covarde, decidira entrar outra vez em contato com o bispo, pedindo autorização para continuar falando com George.
Pela primeira vez em dias, ele tomou banho e se preparou para fazer a barba. Ao colocar o barbeador elétrico na tomada, o padre Mancuso tomou um susto. Sob os olhos havia os mesmos círculos escuros que constatara pela primeira vez na casa da mãe. O telefone tocou naquele exato momento.

Mesmo antes de atender, o padre soube quem estava do outro lado da linha.

"Sim, George?", perguntou ele.

George estava preocupado demais para notar que o padre Mancuso adivinhara que era ele. Anunciou que a família decidira seguir o conselho dos chanceleres e deixar o número 112 da Ocean Avenue. Os Lutz ficariam na casa da sogra até que George conseguisse marcar algum tipo de investigação. Como os acontecimentos começaram a envolver as crianças, George sentia que, se demorassem mais um pouco, Danny, Chris e Missy poderiam correr um perigo aterrorizante.

O sacerdote não fez perguntas sobre os acontecimentos, nem mencionou que suas olheiras tinham voltado a brotar do nada. Concordou na hora que o bem-estar das crianças deveria vir em primeiro lugar e que George fazia a coisa certa ao partir.

"Deixe a casa para o que está aí, seja lá o que for", disse. "Apenas vá embora."

Danny e Chris não foram para a escola em Amityville naquela manhã. Kathy manteve os meninos em casa porque queria fazer as malas o quanto antes. George disse que partiriam assim que ligasse para polícia informando que a família se ausentaria por algum tempo. Também queria passar o telefone da sra. Conners para os policiais, caso houvesse alguma emergência. Só que, quando pegou o fone para discar o número da delegacia, o telefone estava mudo.

Quando o marido disse que o telefone estava fora de serviço, Kathy ficou extremamente ansiosa. Ela vestiu as crianças depressa e, então, sem sequer pegar uma muda de roupas, levou os filhos para dentro da van.

George foi buscar Harry no porão e o colocou na traseira da van. Então deu a volta pela casa e se certificou de que todas as portas estavam trancadas. Depois de verificar o abrigo de barcos, George foi para trás do volante da van. Girou a chave na ignição, mas o motor não quis pegar.

"George?" A voz de Kathy estava trêmula. "Qual é o problema?"

"Fique calma", ele tranquilizou. "Temos bastante gasolina. Deixe eu dar uma olhada embaixo do capô."

Ao sair da van, ele olhou para o céu: as nuvens tinham ficado escuras e ameaçadoras, e George sentiu o vento frio ficar mais intenso. Quando levantou o capô, as primeiras gotas de chuva já estavam atingindo o para-brisa.

George não teve chance de verificar o que poderia ter provocado a falha na van. Uma intensa rajada de vento soprou do rio Amityville, às margens dos fundos da casa, e o capô despencou com força. George tinha acabado de dar um salto para o lado para não ser atingido pelo metal quando um raio caiu atrás da garagem. O estrondo foi quase instantâneo, e as nuvens despencaram em uma intensa cortina de água, que encharcou George na hora.

Ele correu até a porta da frente e destrancou. "Entrem!", gritou para a família dentro da van. Kathy e as crianças dispararam porta adentro mas, quando entraram, já estavam ensopados. Estamos presos, ele pensou, sem se atrever a dividir o pensamento com Kathy. Essa coisa não vai nos deixar ir embora.

A chuva e o vento ganharam intensidade e, por volta das 13h, Amityville foi atingida por outra tempestade com a força de um furacão. Às 15h, faltou luz, mas por sorte o calor permaneceu dentro da casa. George ligou o rádio de pilha na cozinha. O boletim meteorológico informou que a temperatura estava nos 6°C negativos e que a chuva congelante castigava toda Long Island. Como o radar mostrava uma enorme zona de baixa pressão cobrindo toda a área metropolitana, o meteorologista não podia prever quando a tempestade daria uma trégua.

George vedou a janela quebrada no quarto de Missy como pôde, enfiando toalhas nas frestas entre o vidro e o caixilho, depois pregando um cobertor velho por cima da janela inteira. Antes de terminar, as roupas secas que acabara de vestir estavam ensopadas de novo.

Na cozinha, George olhou para o termômetro pendurado ao lado da porta dos fundos. Marcava 26°C, e a casa estava ficando tão abafada que beirava o desconforto. George sabia que, com a falta de luz, o termostato do aquecedor a óleo não iria funcionar. No entanto, quando George voltou a olhar o termômetro, ele havia subido para os 29°C.

Para resfriar a casa, George precisava que circulasse um pouco de ar fresco. Por isso, deixou pequenas frestas nas janelas da varanda interna — o único cômodo que não era atingido diretamente pela tempestade.

Escurecera desde o início da tempestade e, embora ainda fosse dia, Kathy tinha acendido velas. Às 16h30, era como se já fosse noite no número 112 da Ocean Avenue.

De vez em quando, Kathy pegava o telefone para ver se voltara a funcionar, embora sem muita esperança — a tempestade impediria que uma equipe de reparos atendesse ao chamado. As crianças não ficaram incomodadas pela escuridão e encararam como um feriado, correndo para cima e para baixo, brincando de esconde-esconde. Como os meninos se escondiam melhor, era quase sempre Missy quem procurava. Harry ficou feliz em participar da brincadeira, até que George se irritou a ponto de bater no cão com um jornal. Harry saiu correndo e se escondeu atrás de Kathy.

Por volta das 18h, a tempestade ainda não diminuíra. Era como se toda a água do mundo estivesse sendo derramada em cima do número 112 da Ocean Avenue. Dentro da casa, a temperatura tinha subido para os 32°C. George desceu até o porão para examinar o aquecedor a óleo. *Estava* desligado, mas não fazia diferença: o calor continuava cada vez mais intenso em todos os cômodos, exceto no quarto de Missy.

Desesperado, ele decidiu fazer um último apelo a Deus. Com uma vela na mão, George começou a andar de cômodo em cômodo, pedindo ao Senhor que expulsasse quem não pertencesse àquela casa. Sentiu-se um pouco reconfortado quando não houve nenhuma reação sinistra às suas preces.

Depois que a porta do quarto de brinquedos foi danificada durante a primeira tempestade, George retirou a fechadura. Agora, à medida que se aproximava do cômodo para recitar sua prece, viu que o lodo esverdeado estava de volta, vazando do buraco aberto na porta e escorrendo para o chão do corredor. George observou a gosma que serpenteava devagar na direção da escada.

Ele arrancou as tábuas de pinheiro pregadas em diagonal e escancarou a porta, meio que esperando encontrar o quarto cheio do material viscoso. Mas a única fonte parecia ser o buraco vazio da fechadura na porta!

George pegou algumas toalhas do banheiro do terceiro andar e enfiou na abertura. As toalhas logo ficaram saturadas, mas a gosma parou de jorrar. George limpou o lodo que se acumulara no corredor e chegara a escorrer pelos degraus. Não tinha nenhuma intenção de contar à esposa sobre essa nova descoberta.

Durante a vistoria que George fazia na casa, Kathy ficou sentada ao lado do telefone. Ela tentara abrir a porta da cozinha para deixar entrar um pouco de ar mas, mesmo com apenas uma fresta aberta, a água da chuva inundava o cômodo. Ela começou a cochilar devido ao calor opressivo.

Quando George enfim voltou à cozinha, Kathy dormia quase a sono solto, descansando a cabeça nos braços, em cima da mesa do café da manhã, no canto da cozinha. A esposa transpirava, como ele percebeu ao tocar a nuca úmida dela. Quando George tentou acordá-la, Kathy levantou um pouco a cabeça, murmurou algo que ele não conseguiu entender, depois deixou a testa cair outra vez sobre os braços.

George não precisou verificar se a chuva e o vendaval tinham diminuído: um verdadeiro dilúvio ainda caía sobre a casa, e ele de alguma maneira sabia que não teriam permissão para ir embora do número 112 da Ocean Avenue naquela noite. Ele pegou Kathy nos braços e a levou para o quarto do casal, registrando a hora no relógio da cozinha. Eram 20h em ponto.

O calor de 32°C enfim começou a afetar Danny, Chris e Missy. Toda a correria pela casa durante grande parte do dia deixara as crianças esgotadas. Por isso, logo depois que George levou Kathy para cima, os filhos estavam prontos para dormir. George ficou surpreso ao descobrir que estava um pouco mais fresco no quarto dos meninos, no terceiro andar. Sabendo que o ar quente sobe, deveria estar fazendo muito mais do que 32°C no último andar.

Com sono, Missy deitou ao lado da mãe na cama, mas não quis nem lençol nem cobertor. Antes de George voltar para o andar de baixo, ela e os meninos já estavam dormindo.

George e Harry ficaram sozinhos na sala de estar. Desta vez, o cachorro parecia sem sono e observava todos os movimentos do dono. Também sofria com o excesso de calor e, sempre que George se levantava da poltrona, não o seguia, mas permanecia deitado na frente da corrente de ar frio que entrava por baixo das frestas das janelas da sala de estar.

George pensou em correr até a van a fim de verificar se o motor pegaria. A van continuava parada no meio da entrada para carros, e George sabia que era provável que o motor já estivesse molhado. Só que o verdadeiro motivo para não tentar era a suspeita de que, caso saísse, talvez não conseguisse voltar para dentro da casa. Uma voz em sua mente afirmava que ele não conseguiria abrir a porta da frente ou a da cozinha outra vez.

De repente, às 22h, o calor de 32°C começou a diminuir. Harry foi o primeiro a perceber. O cachorro se levantou, farejou o ar, depois andou até a lareira apagada e soltou um ganido para George, que estava afundado na poltrona. Os sons sofridos interromperam os pensamentos do dono a respeito da van. George ergueu o olhar e estremeceu. Houve uma queda considerável na temperatura da casa.

Meia hora depois, o termômetro marcava 15°C. George disparou até o porão para buscar algumas achas de lenha. Harry correu atrás e parou na porta, mas não quis descer os degraus. Ficou parado na soleira, virando a cabeça o tempo todo, como se alguém estivesse se aproximando pelas costas.

George usou a lanterna para examinar todos os cantos do porão, mas não havia nenhum sinal de algo fora do comum. Com uma braçada de lenha, George voltou para cima e testou o telefone na cozinha: continuava mudo. Estava pronto para acender o fogo na lareira quando teve a impressão de ouvir Missy chamar.

Quando chegou ao quarto do casal, a menininha estava tremendo. Ele tinha se esquecido de cobrir a filha quando a temperatura na casa começou a cair. Deitada de bruços, Kathy dormia como se estivesse dopada, sem se mexer nem se virar na cama. George também cobriu o corpo frio da esposa com cobertores.

Quando enfim voltou a descer para a sala de estar, George decidiu não acender a lareira. Queria estar livre para ficar perto de Kathy e das crianças. Hoje à noite, pensou, é melhor estar pronto para qualquer coisa. George prendeu a longa guia de metal na coleira de Harry e levou o cachorro até o quarto principal. Deixou a porta aberta, mas enrolou a guia para que Harry bloqueasse a soleira da porta por completo. Em seguida tirou os sapatos e, sem se trocar, deslizou para a cama ao lado de Missy e Kathy. Em vez de se deitar, ficou sentado, com as costas apoiadas na cabeceira.

À 1h, George sentiu que estava congelando. Pelo barulho da furiosa tempestade do lado de fora, sabia que não havia chance de obter calor com o aquecedor a óleo naquela noite. Começou a se lamentar sobre as tristes provações que estava passando com sua família. Agora se dava conta de que deveria ter fugido na primeira vez que o padre Mancuso avisou. "Oh, Deus, nos ajude", murmurou.

De repente, Kathy levantou a cabeça. Ela saiu da cama e se virou para olhar o espelho na parede. À luz das velas, George percebeu que os olhos da esposa estavam abertos, mas que ela continuava dormindo.

Kathy fitou o próprio reflexo por alguns instantes, então deu as costas à parede com os painéis de espelho e se precipitou para a porta do quarto. Mas parou quando atingiu um obstáculo: Harry dormia a sono solto, deitado na soleira, bloqueando o caminho.

George pulou para fora da cama e segurou a esposa. Com olhos que não viam, Kathy fitou o marido. Para George, ela parecia estar em transe.

"Kathy", exclamou. "Acorde!" Ele balançou sua mulher, mas não houve resposta nem reação. Até que, de repente, os olhos dela se fecharam. Kathy ficou mole nos braços do marido, que com delicadeza meio que puxou, meio que carregou a esposa de volta à cama. Primeiro ele fez Kathy se sentar, em seguida esticou as pernas dela para que deitasse completamente. O estado de transe parecia afetar todo o corpo, e ela lembrava uma boneca de pano.

George percebeu que Missy, no meio da cama, permanecera dormindo durante todo o episódio. Nesse ponto, sua atenção foi atraída por um movimento no vão da porta. Ele viu Harry fazer força para se levantar, estremecer com violência e então começar a engasgar. O cachorro vomitou no chão, mas continuou engasgando e tentando expelir alguma coisa que parecia entalada na garganta. Ao se contorcer, o pobre cão apenas se enroscava ainda mais na corrente.

O cheiro de vômito deixou George com ânsia também. Ele correu até o banheiro, bebeu um gole de água, respirou fundo e saiu com toalhas nas mãos. Depois de limpar a sujeira, George desamarrou Harry e soltou o cachorro, que olhou para o dono, balançou o rabo diversas vezes e se deitou no chão do corredor, fechando os olhos. "Está tudo bem com você agora", sussurrou George, baixinho.

Ele aguçou os ouvidos, mas tudo estava quieto ao redor da casa — quieto *demais*. Depois de alguns instantes, percebeu que a tempestade tinha parado. Não havia chuva nem ventania. A quietude era total, como se alguém tivesse fechado a torneira de uma pia. Havia uma redoma de silêncio no número 112 da Ocean Avenue.

Com o fim da tempestade, a temperatura externa começou a cair e, em pouco tempo, a casa ficou gelada. George podia sentir o quarto ficar ainda mais frio do que antes. Continuava completamente vestido quando voltou a se enfiar embaixo das cobertas.

Houve um barulho acima da cabeça de George. Ele olhou para cima e prestou atenção: alguma coisa estava arranhando o chão do quarto dos meninos. O barulho ficou mais alto, e George percebeu que o movimento estava mais rápido. As camas dos meninos estavam deslizando para frente e para trás!

George conseguiu afastar as cobertas, mas não conseguiu sair da cama. Não havia nenhuma pressão como no incidente com a poltrona do quarto. Ele apenas não tinha forças para se mexer!

Então ouviu as gavetas da cômoda do outro lado do quarto começarem a abrir e a fechar. Como ainda havia uma vela sobre sua mesa de cabeceira, ele podia ver as gavetas deslizando depressa para frente e para trás. Uma gaveta era escancarada, depois outra, antes da primeira ser fechada com um baque. Lágrimas de frustração e medo escorreram pelos olhos de George.

Quase imediatamente depois, vieram as vozes. Ele podia ouvi-las no andar de baixo, mas não conseguia entender o que diziam. Sabia apenas que era como se uma multidão estivesse reunida no primeiro andar. Tudo girava em sua cabeça à medida que ele tentava esticar o braço e tocar Missy ou Kathy.

Então a banda de marcha militar começou a tocar, e a música abafou as vozes incompreensíveis. George pensou que devia estar em um manicômio. Podia ouvir com clareza os músicos desfilando por todo o primeiro andar — e de repente os primeiros passos a subir a escada!

George estava gritando agora, mas não ouvia nenhum som sair de sua garganta. O corpo se debatia para lá e para cá na cama, e ele podia sentir a terrível tensão nos músculos do pescoço ao tentar em vão levantar a cabeça do travesseiro. Por fim, desistiu e notou que o colchão estava ensopado.

As camas dos meninos se chocavam acima da cabeça de George, e as gavetas da cômoda do quarto abriam e fechavam conforme a banda seguia escada acima até o segundo andar. Só que isso não era tudo. Apesar de todo o barulho, George agora ouvia as portas da casa abrindo e fechando com grande estardalhaço!

Viu a porta do quarto dançando descontrolada, abrindo e fechando sem parar. Também podia ver Harry deitado no corredor, completamente insensível à algazarra. Ou o cachorro está drogado, pensou George, ou eu estou ficando louco!

Um terrível e ofuscante clarão iluminou o quarto. George ouviu o raio atingir alguma coisa ali perto. Então houve um sopro devastador, que chacoalhou a casa inteira. A tempestade estava de volta, açoitando de cima a baixo, com muita chuva e muito vento, o número 112 da Ocean Avenue.

Ofegante, George permaneceu deitado, o coração batendo acelerado no peito. Ficou aguardando, sabendo que alguma coisa estava prestes a acontecer. Então soltou um grito terrível e silencioso. Havia alguém na cama com ele!

George sentiu que estava sendo pisoteado! Pés fortes e pesados atingiam suas pernas e seu corpo. Ele fechou os olhos, sentindo a dor das pisadas. Oh, Deus!, pensou. São cascos. Essa coisa é um animal!

George deve ter desmaiado de medo, porque a lembrança seguinte é a visão de Danny e Chris parados ao lado da cama.

"Papai, papai, acorda!", gritavam. "Tem alguma coisa no nosso quarto!"

Ele piscou. De relance, viu que estava claro lá fora. A tempestade tinha passado. As gavetas da cômoda estavam todas abertas, e os dois filhos imploravam que ele levantasse.

Missy! Kathy! George se virou para olhá-las. A esposa e a filha continuavam ao seu lado, ainda dormindo. Ele se voltou para os meninos, que tentavam puxá-lo para fora da cama.

"Qual é o problema?", perguntou. "O que tem no quarto de vocês?"

"É um monstro!", exclamou Danny. "Ele não tem rosto!"

"Ele tentou pegar a gente", acrescentou Chris. "Só que a gente fugiu! Venha, papai, se levanta!"

George tentou. Quase conseguiu tirar a cabeça do travesseiro quando ouviu Harry soltar latidos furiosos. George olhou para a porta aberta atrás dos meninos: o cachorro estava parado no corredor, rosnando e rugindo para a escada. Embora estivesse sem coleira, Harry não avançou até a escada, permanecendo agachado no corredor, mostrando os dentes, latindo para algo ou alguém que George não conseguia ver de onde estava na cama.

Com uma enorme explosão de força de vontade, George enfim conseguiu tirar o corpo da cama, se levantando tão de repente que chegou a esbarrar em Danny e Chris. Em seguida correu até a porta aberta e olhou para a escada.

No degrau de cima havia um enorme vulto vestido de branco. George soube que era a figura de capuz que Kathy vislumbrara na lareira. A entidade apontava para ele!

George deu meia-volta e correu de novo para o quarto, pegou Missy e empurrou a menina para os braços de Danny.

"Leve sua irmã lá para fora!", gritou George. "Você vai com eles, Chris!"

Em seguida, se debruçou sobre Kathy e a tirou da cama. "Depressa!", berrou para os meninos, antes de também sair correndo do quarto com a esposa nos braços, seguido escada abaixo por Harry.

No primeiro andar, George viu que a porta da frente estava aberta, outra vez pendendo das dobradiças, arrancada por alguma poderosa força.

Danny, Chris e Missy esperavam do lado de fora. A garotinha, que tinha acabado de acordar, se debatia nos braços do irmão. Sem saber onde estava, começou a chorar de medo.

George correu até a van. Colocou Kathy no banco do carona, depois ajudou as crianças a entrarem atrás. Harry também pulou para dentro da van. George bateu a porta do lado de Kathy, contornou o veículo, saltou atrás do volante e rezou, antes de girar a chave na ignição.

O motor pegou na hora.

Espalhando cascalho molhado, George deu ré pela entrada para carros. Quando chegou até a rua, derrapou, virou o volante e, ao mesmo tempo, pisou fundo no acelerador. A van oscilou por um instante, depois os pneus ganharam aderência, deixando para trás marcas de borracha que soltavam fumaça. Em um instante, a van arrancava pela Ocean Avenue.

Enquanto dirigia para algum lugar seguro, George olhou pelo retrovisor. Sua casa ia desaparecendo depressa do campo de visão. Graças a Deus!, murmurou para si mesmo. Nunca mais vou ver você, sua filha da puta!

Eram 7h da manhã do dia 14 de janeiro de 1976: o vigésimo oitavo dia desde que os Lutz se mudaram para o número 112 da Ocean Avenue.

AMITYVILLE
JAY ANSON

14 DE JANEIRO

25

Naquela manhã, no exato momento em que os Lutz fugiam de casa, o padre Mancuso tomava a decisão de sair da cidade.

Ele esperou até as 11h, porque só então seriam 8h em San Francisco, e não queria acordar o primo telefonando cedo demais. O padre anunciou que passaria férias no Oeste e partiria em um ou dois dias, provavelmente na sexta-feira, dia 16 de janeiro.

O padre Mancuso desligou, sentindo um grande alívio: aquela foi a primeira atitude positiva que tomava em semanas. O sacerdote concluiu que uma semana sob o sol da Califórnia só poderia fazer bem e daria um fim à persistente gripe. Deixe as forças diabólicas no número 112 da Ocean Avenue ficarem com a casa e com o cruel inverno de Nova York.

Ligou para o escritório na diocese com a intenção de informar seus planos. Eles deveriam remarcar seus compromissos e suas obrigações para depois do dia 30 de janeiro. Entraria pessoalmente em contato com os clientes do aconselhamento.

À medida que a manhã avançava, o padre sentiu uma melhora progressiva. Como tinha muito a fazer antes de partir, todos os pensamentos sobre os Lutz ficaram em segundo plano. Só que às 16h George Lutz ligou da casa da sogra, em East Babylon, para avisar que a família ficaria ali até que fossem feitas investigações científicas na casa em Amityville.

"Tudo bem, George", disse o padre Mancuso. "Mas tome cuidado com quem entra na casa. Não transforme em um circo."

"Oh, não farei isso, padre", respondeu George. "Não queremos curiosos perambulando pela casa. Nossas coisas continuam lá. Ninguém entra se eu não der permissão."

"Ótimo", falou o padre. "Apenas siga as instruções dos parapsicólogos. A Chancelaria assegura que eles têm os melhores equipamentos para situações como essa e..."

"Só tem um detalhe", interrompeu George. "E se os especialistas não encontrarem nada? E depois da noite passada, padre, eu francamente acho que não vão encontrar. Nesse caso, o que acontece?"

O padre Mancuso suspirou.

"O que você quer dizer com *depois da noite passada*? Não me diga que vocês passaram mais uma noite lá?"

Houve silêncio na linha telefônica. Por fim, George quebrou o silêncio e respondeu.

"A casa não queria deixar a gente ir. Só conseguimos sair hoje de manhã."

O padre Mancuso sentiu uma coceira nas palmas das mãos e olhou para a mão esquerda. Estava ficando irritada. Oh, não, pensou. Por favor, Deus, de novo não! Chega!

Sem dizer mais uma palavra, o sacerdote desligou. Enfiou as mãos sob as axilas, tentando protegê-las. Começou a se balançar para frente e para trás. "Por favor, por favor, me deixe em paz", sussurrou. "Prometo que nunca mais vou falar com ele."

George não conseguia entender por que o padre Mancuso tinha desligado na sua cara. O padre deveria ter ficado feliz com a notícia. George segurou o fone, encarando o aparelho. "O que foi que eu disse?", murmurou.

Um puxão na manga da camisa interrompeu seu devaneio. Era Missy.

"Aqui, papai", disse ela. "Desenhei Jodie como você me pediu."

"O quê?", perguntou George. A filha segurava um desenho. "Oh, sim", lembrou. "O desenho do Jodie. Deixa eu ver."

JODIE" CORRENDO PELA NEVE
— DESENHO FEITO POR MISSY

George pegou o papel da mão de Missy. Era uma interpretação infantil e tosca de um porco, mas uma concepção clara que uma criança de 5 anos tem de um animal correndo.

Ele ergueu as sobrancelhas.

"O que são todas essas coisas em volta do Jodie?", perguntou.

"Se parecem com pequenas nuvens."

"Isso é neve, papai", respondeu Missy. "Foi quando o Jodie fugiu pela neve."

O padre Mancuso decidiu pegar o voo das 21h da TWA para San Francisco. Assim que o pânico causado pela ligação de George passou, o padre tratou logo de pegar o telefone e conversou com a esposa do primo. Disse que havia mudado de ideia e que viajaria naquela noite. Ela disse que não tinha problema em buscá-lo no Aeroporto Internacional de San Francisco.

O padre Mancuso fez apenas uma mala, depois ligou para a mãe, para o escritório da diocese e para uma cooperativa de táxis. Por volta das 20h, deixou o presbitério e estava a caminho do Aeroporto Kennedy. Quando fez o check-in no balcão da TWA, o sacerdote examinou as palmas das mãos outra vez. As irritações tinham sumido, mas o medo não.

Jimmy foi passar a noite na casa da sogra. Mas antes que partisse com Carey, houve uma pequena comemoração na casa da sra. Conners. Graças ao sentimento de grande alívio dos Lutz, que enfim se viam livres do número 112 da Ocean Avenue, a confraternização quase virou uma festa.

George e Kathy agora queriam falar sobre as experiências, e os familiares demonstraram compreensão e credulidade. Os acontecimentos saíam atropeladamente dos lábios dos dois, que tentavam explicar o que passaram. Por fim, George revelou que tinham planos de livrar a casa de toda força maligna que ainda restasse. Ele disse para a sogra e para Jimmy que pesquisadores seriam convidados para participar de uma força-tarefa, mas que precisariam conduzir as investigações por conta própria. Isso porque ninguém da família voltaria a colocar os pés no número 112 da Ocean Avenue, sob hipótese alguma.

Danny, Chris e Missy dormiriam no quarto de Jimmy. Os meninos estavam exaustos pela aparição perturbadora do "monstro" na noite anterior e também pelo nervosismo da fuga. Apesar disso, não quiseram falar sobre a figura demoníaca de capuz branco. Quando George pressionou para que contassem suas versões, os meninos ficaram em silêncio, estampando uma expressão temerosa no rosto.

Missy parecia não ter sido nem um pouco afetada pela experiência. Ela se adaptou com bastante facilidade àquela nova aventura e se sentiu bem à vontade com as poucas bonecas guardadas na casa da avó. Nem sequer ficou perturbada quando Kathy fez mais perguntas sobre o desenho de Jodie. A menininha se limitou a dizer: "É assim que o porco se parecia".

George e Kathy tomaram banho cedo, relaxando sob a água quente e passando um bom tempo na banheira. Foi uma limpeza dupla: do corpo e da alma. Por volta das 22h, foram para a cama no quarto de hóspedes. Pela primeira vez em quase um mês, marido e mulher adormeceram nos braços um do outro.

George foi o primeiro a acordar, sentindo-se como em um sonho. Ele tinha a sensação de estar flutuando no ar!

Sabia que seu corpo estava flutuando pelo quarto e que depois pousou com suavidade na cama. Em seguida, ainda em estado de torpor, George viu Kathy levitando acima da cama. Ela subiu quase trinta centímetros e depois começou a flutuar devagar para longe dele.

George estendeu uma das mãos na direção da esposa. De sua perspectiva, o movimento foi quase em câmera lenta, como se seu braço não estivesse ligado ao corpo. Tentou chamar a esposa mas, por alguma razão, não conseguiu lembrar o nome dela.

Impotente, George só pôde observá-la voar mais alto na direção do teto. Então sentiu novo empurrão e, outra vez, teve a sensação de estar flutuando.

Ele podia ouvir alguém chamando seu nome muito ao longe. George conhecia a voz, que soava familiar. Ele ouviu seu nome outra vez.

"George?"

Então se lembrou. Era Kathy. George olhou para baixo e viu que a esposa estava de volta na cama, olhando para ele.

George começou a flutuar na direção de Kathy, então teve a sensação de se acomodar devagar ao lado dela na cama.

"George!", exclamou ela. "Você estava flutuando no ar!"

Kathy agarrou o marido pelo braço e o puxou para fora da cama.

"Vamos!", gritou ela. "Temos que sair desse quarto!"

Como um sonâmbulo, George seguiu a esposa. Os dois pararam no topo da escada e se contorceram de horror. *Subindo os degraus na direção deles, como uma serpente, havia uma linha de gosma de tom preto-esverdeado!*

George compreendeu que não havia sonhado. Tudo tinha sido real. Seja lá o que pensara ter deixado para trás no número 112 da Ocean Avenue estava seguindo os Lutz — aonde quer que a família fosse.

AMITYVILLE
JAY ANSON

EPÍLOGO

No dia 18 de fevereiro de 1976, Marvin Scott do Channel Five de Nova York decidiu investigar mais a fundo os relatos da suposta casa amaldiçoada em Amityville, Long Island. A missão exigia que que passassem uma noite na casa assombrada de número 112 da Ocean Avenue. Um demonologista, médiuns, clarividentes e parapsicólogos foram convidados a participar.

Antes disso, Scott havia contatado os inquilinos, a família Lutz, para pedir autorização para filmar as atividades na casa abandonada. George Lutz concordou e participou de uma reunião com Scott em uma pequena pizzaria em Amityville. George se recusou a voltar a pôr os pés no número 112 da Ocean Avenue, mas disse que se encontraria com os investigadores em um restaurante italiano no dia seguinte, na companhia de Kathy, sua esposa.

Para provocar a força avassaladora que supostamente habitava a casa, um crucifixo e velas abençoadas foram colocados no centro da mesa da sala de jantar.

Os especialistas realizaram a primeira das três sessões mediúnicas às 22h30. Presentes ao redor da mesa estavam Lorraine Warren, uma clarividente; seu marido, Ed, um demonologista; as médiuns Mary Pascarella e a sra. Albert Riley; e George Kekoris, do Instituto de Pesquisas Psíquicas de Durham, Carolina do Norte. Marvin Scott fechava o grupo em volta da mesa.

Durante a sessão mediúnica, Mary Pascarella se sentiu mal e precisou deixar a sala. Com voz trêmula, ela disse que "por trás de tudo parece haver algum tipo de sombra escura, que forma uma cabeça que se move. Conforme se move, eu me sinto ameaçada". A sra. Riley, em um transe mediúnico, começou a ofegar. "Está no quarto lá em cima. O que está aqui faz o coração acelerar. Meu coração está batendo forte." Ed Warren quis encerrar a sessão. A sra. Riley continuou ofegando, mas de repente saiu depressa do transe e voltou à consciência normal.

Em seguida, George Kekoris, o investigador psíquico, também se sentiu muito mal e precisou deixar a mesa. Mike Linder, comentarista da WNEW-FM, afirmou que sentira um torpor súbito, um tipo de sensação gélida.

A clarividente Lorraine Warren enfim expressou sua opinião: "Para mim, o que existe aqui, seja lá o que for, é com certeza de natureza negativa. Não tem nenhuma relação com alguém que em outras vidas caminhou na terra em forma humana. É algo que vem das entranhas da terra".

O cinegrafista Steve Petropolis, que já cobrira algumas zonas de conflito bem perigosas, sofreu palpitações e falta de ar ao gravar imagens da sala de costura, onde a força negativa parecia estar concentrada. Quando Lorraine Warren e Marvin Scott entraram no cômodo, precisaram sair às pressas, alegando sentir calafrios.

Lorraine e Ed Warren também passaram mal na sala de estar. A sra. Warren acreditava que algumas forças negativas tinham ficado concentradas em estátuas e objetos: "O que está aqui, seja lá o que for, é livre para se mover. Não precisava ficar aqui, mas acredito que este seja seu local de repouso". Ela também detectou algo demoníaco nos objetos, apontando a lareira e o balaústre do segundo andar, sem ter conhecimento prévio dos problemas envolvendo os Lutz.

Enquanto alguns integrantes da força-tarefa dormiam nos quartos do segundo andar, um fotógrafo tirou fotos infravermelhas na vã esperança de capturar alguma imagem fantasmagórica. Jerry Solfvin, do Instituto de Pesquisas Psíquicas, perambulou pela casa com uma lamparina elétrica, procurando evidências físicas.

Às 3h30, os Warren tentaram outra sessão mediúnica. Não houve nada anormal a relatar, nenhum barulho nem fenômenos estranhos. Todos os médiuns sentiram que o cômodo tinha sido neutralizado e se limitaram a dizer que a atmosfera não estava propícia naquele momento. Apesar disso, com certeza sentiram que a casa na Ocean Avenue abrigava um espírito demoníaco, algo que só poderia ser expulso por um exorcista.

Quando Marvin Scott voltou à pequena pizzaria, os Lutz já tinham ido embora. Em março, cruzaram o país e se mudaram para a Califórnia, deixando para trás todos os pertences, todos os bens materiais e todo o dinheiro investido na casa dos sonhos. Apenas para ficarem livres da casa, transferiram o título da propriedade para o banco que mantinha a hipoteca. Até que a casa fosse vendida outra vez, as janelas ficariam cobertas com tábuas, a fim de desencorajar atos de vandalismo e evitar a entrada de curiosos, valentões e desavisados.

Na Sexta-feira Santa de 1976, o padre Mancuso se recuperou de uma pneumonia e, em abril, foi transferido para outra paróquia pelo bispo de sua diocese. A localização fica bem distante do número 112 da Ocean Avenue.

Agora, Missy fica perturbada quando perguntam sobre Jodie. Já Danny e Chris ainda conseguem descrever em detalhes o "monstro" que os perseguiu naquela última noite. Kathy, por sua vez, não quer falar nada a respeito daquele período de sua vida. George vendeu suas ações da William H. Parry, Inc. e espera que todos que ouvirem sua história possam compreender como entidades negativas podem ser perigosas para os incautos — para os descrentes. "Elas *são* reais", insiste George, "e propagam o mal assim que uma oportunidadese apresenta."

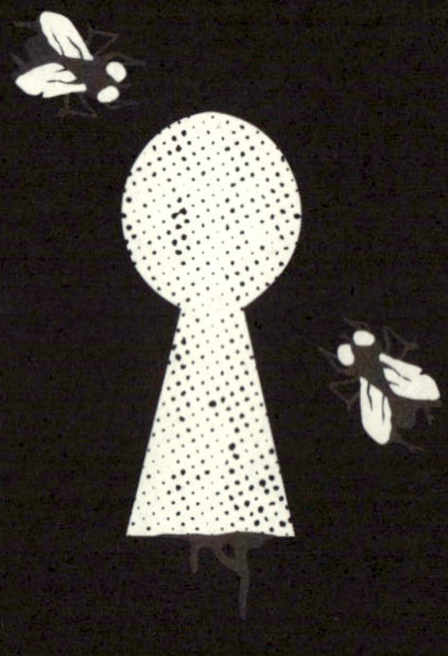

AMITYVILLE
JAY ANSON

POSFÁCIO
Nota Do Autor

Até onde pude averiguar, todos os fatos contados neste livro são verdadeiros. George Lee e Kathleen Lutz realizaram a exaustiva e frequentemente dolorosa tarefa de reconstruir os 28 dias que passaram na casa em Amityville em um gravador, refrescando a memória um do outro para que o "diário" oral definitivo fosse o mais completo possível. Além de George e Kathy concordarem em todos os detalhes do que presenciaram, muitas de suas impressões e descrições foram mais tarde comprovadas por depoimentos de testemunhas independentes, como o padre Mancuso e policiais locais. No entanto, talvez a evidência mais cabal para sustentar a história seja circunstancial: é necessário mais do que imaginação fértil ou um "ataque de nervos" para levar uma família normal e saudável de cinco membros a tomar a drástica atitude de abandonar de repente a casa dos sonhos, de três andares, completa, com um porão reformado, piscina e um abrigo de barcos, sem nem ao menos fazer uma pausa a fim de pegar seus pertences.

Devo assinalar também que, quando os Lutz fugiram da casa no início de 1976, não tinham nenhuma intenção de descrever suas experiências em um livro. Só depois que jornais e redes de televisão começaram a fazer matérias a respeito da casa, que os Lutz consideraram distorcidas e sensacionalistas, eles concordaram em ter sua história publicada. Também não faziam ideia de que muitas de suas afirmações seriam corroboradas por outras pessoas. Além de consultar as fitas com os depoimentos da família para obter uma coerência interna, conduzi minhas próprias entrevistas com outras pessoas envolvidas no caso. De fato, George e Kathy ficaram sabendo sobre as provações do padre Mancuso apenas quando o rascunho final deste livro ficou pronto.

Antes da mudança para a casa nova, os Lutz estavam longe de ser especialistas em fenômenos psíquicos. Até onde conseguem se lembrar, os únicos livros que tinham lido que poderiam ser remotamente considerados "ocultos" foram algumas obras de vulgarização sobre Meditação Transcendental. No entanto, como descobri em conversas com quem tem familiaridade com parapsicologia, quase todas as experiências da família têm um forte paralelo com outros relatos sobre assombrações, "invasões" psíquicas e similares, publicados ao longo dos anos em uma ampla variedade de fontes. Por exemplo:

- O frio glacial que George e os outros sentiram é uma síndrome descrita reiteradas vezes por visitantes de casas assombradas, que sentem um "local gelado" ou um frio penetrante. (Ocultistas especulam que uma entidade desencarnada pode sugar energia termal e calor corporal com a intenção de ganhar o poder necessário para se tornar visível e mover objetos.)

- Dizem que os animais costumam demonstrar desconforto ou até mesmo terror em ambientes assombrados. Isso com certeza aconteceu no caso de Harry, o cachorro da família, e também com os visitantes que não tinham entrado na casa antes — a tia de Kathy, o garoto da vizinhança e outros.

- A janela que se fechou sobre os dedos de Danny lembra um caso que aconteceu na Inglaterra, quando a porta de um carro se fechou sozinha, esmagando a mão de uma mulher que estava chegando para investigar relatos paranormais. Minutos depois, enquanto dirigia até um hospital nas redondezas, a mão supostamente voltou ao estado normal.

- O vislumbre do que George mais tarde identificaria como sendo o rosto de Ronnie DeFeo, as repetidas vezes que despertara na mesma hora da chacina dos DeFeo e os sonhos de Kathy com atividade sexual extraconjugal têm equivalentes em um fenômeno chamado de *retrocognição*, em que um local carregado emocionalmente consegue transmitir imagens de seu passado para os visitantes.

- Os estragos causados nas portas, nas janelas e no balaústre, o movimento e o possível teletransporte do leão de cerâmica, o fedor nauseabundo no porão e no presbitério são elementos conhecidos dos leitores da volumosa literatura sobre poltergeists e "fantasmas ruidosos", cujo comportamento foi documentado por investigadores profissionais. A "banda de marcha militar" também é característica do poltergeist, que costuma ser retratado como causador de ruídos altos e drásticos. (Uma vítima descreveu o barulho de "um piano de cauda caindo escada abaixo", mas sem nenhuma causa ou dano visíveis.) Dizem que a maior parte das manifestações de poltergeist acontece na presença de uma criança — em geral uma menina — chegando à puberdade. No caso dos Lutz, aparentemente nenhum dos filhos teria idade suficiente para servir como desencadeador. Além disso, a maioria das travessuras do poltergeist parece ter relação com malícia infantil, e não com perversidade ou perigo físico. Por outro lado, como o reverendo Nicola lembra em seu livro *Demonical Possession and Exorcism* [Possessão Demoníaca e Exorcismo], os poltergeists às vezes servem como primeira manifestação de uma entidade que, no fim das contas, almeja a possessão demoníaca. O crucifixo invertido no closet de Kathy, as moscas recorrentes e o fedor de excrementos humanos são marcas características de infestação demoníaca.

O que então devemos concluir sobre o relato dos Lutz? Suas histórias foram corroboradas por muitas fontes independentes para que se possa imaginar que eles fantasiaram ou fabricaram os fatos. Mas se o caso se desenrolou da maneira como eu reconstruí aqui, como devemos interpretá-lo?

O que se segue é uma interpretação, a análise de um experiente pesquisador de fenômenos paranormais:

"A casa dos Lutz parece ter abrigado pelo menos três entidades distintas. Francine, a médium, sentiu pelo menos dois 'fantasmas' comuns, ou seja, espíritos de seres humanos presos à terra que, por alguma razão, permanecem ligados a um local específico muito tempo depois de suas mortes físicas. Esses espíritos costumam querer apenas sossego para desfrutar do local a que se acostumaram enquanto permanecem na terra. A mulher cujo toque e perfume foram percebidos por Kathy (Francine citou 'uma senhora idosa') pode ter sido a primeira moradora da casa e só queria tranquilizar a jovem que considerara 'sua' cozinha um lugar tão atraente e agradável.

"De maneira parecida, o menininho mencionado apenas por Missy e pela cunhada de Kathy pode também ter sido um espírito preso à terra que, volto a insistir, de acordo com os médiuns e espiritualistas, pode não ter percebido que estava morto. Solitário e confuso em um mundo atemporal pós-morte, seria natural que ele se manifestasse no quarto de Missy e ficasse surpreso ao encontrar a cama ocupada por Carey e Jimmy. No entanto, na medida em que ele pediu 'ajuda' a Carey, fica claro que não era *ele* quem estava desejando que Missy se tornasse sua companheira de brincadeira permanente.

"Por outro lado, a figura encapuzada e 'Jodie, o porco' parecem representar uma classe completamente diferente de entidade. Demonologistas ortodoxos acreditam que anjos caídos podem se manifestar como animais ou como figuras humanas surpreendentes sempre que desejarem, de modo que essas duas aparições podem ter sido uma única entidade. Embora George tenha visto os olhos de um porco e as marcas de cascos na neve, Jodie *conversou* com Missy. Logo, não era o simples fantasma de um animal. Além disso, a entidade que marcou com chamas a fisionomia na parede da lareira e dominou o corredor naquela última manhã pode ter apenas adotado uma forma menos assustadora para conversar por telepatia com a garotinha.

"Parece lógico que essa entidade — junto das vozes que mandaram que o padre Mancuso fosse embora e que George e Kathy parassem com o exorcismo improvisado — pode ter sido 'convidada a entrar' durante cerimônias ocultas realizadas no porão ou no local de origem da casa. Uma vez estabelecidas, elas resistiriam a qualquer tentativa de expulsão, e com um vigor maior do que um fantasma comum demonstraria.

"Os transes inexplicáveis, as mudanças de humor, as reiteradas levitações, os sonhos estranhos e as transformações físicas de George e Kathy podem ser interpretados como sintomas de possessão incipiente. Algumas pessoas que acreditam em reencarnação dizem que nós pagamos pelos erros do passado renascendo em um novo corpo e experimentando as consequências de nossas ações. Porém, qualquer entidade tão malévola como aquela que atormentou os Lutz teria percebido que um retorno à carne poderia ocasionar um castigo na forma de deformidade física, doença, sofrimento e outros 'carmas ruins'. Por isso, um espírito sórdido como aquele poderia evitar a reencarnação total, dominando em vez disso os corpos dos *vivos* para experimentar comida, sexo, álcool e outros prazeres mundanos.

"Ficou evidente que George Lutz não era o 'cavalo' dócil e ideal para um cavaleiro desencarnado: a ameaça à esposa e aos filhos o levaram a revidar. Só que os adversários invisíveis também não eram meras 'assombrações'. É possível ter ideia de sua força incomum pelos ataques a longa distância contra o carro, a saúde e os aposentos do padre Mancuso, e também pela levitação de George e Kathy, mesmo depois que o casal já tinha fugido para a casa de Joan. Mas por que então os Lutz não relataram mais nenhum problema depois da mudança para a Califórnia?

"Outra antiga tradição do ocultismo — que os espíritos não podem estender seus poderes através da água — pode ser a explicação. Durante o andamento deste livro, um dos principais responsáveis pela obra afirmou ter se sentido fraco e enjoado sempre que se sentava para trabalhar no manuscrito — *sempre que fazia isso no escritório em Long Island*. No entanto, quando se dedicava à mesma tarefa em Manhattan, do outro lado do rio East, não experimentava nenhum mal-estar."

É claro que não somos obrigados a aceitar essa ou outra interpretação "psíquica" dos fatos que aconteceram na casa em Amityville. Ainda assim, qualquer outra hipótese nos leva imediatamente a tentar estabelecer uma série ainda mais incrível de coincidências estranhas, alucinações coletivas e grotescas interpretações equivocadas da realidade. Seria útil se pudéssemos reproduzir, como um experimento controlado de laboratório, alguns dos acontecimentos presenciados pelos Lutz. Mas naturalmente isso é impossível. Espíritos incorpóreos — se é que existem — não se sentem na obrigação de aparecer para dar um recado diante das câmeras e equipamentos de gravação de pesquisadores zelosos.

Não existe nenhuma prova de que fatos estranhos tenham acontecido no número 112 da Ocean Avenue depois do período relatado neste livro, o que faz sentido: mais de um parapsicólogo observou que manifestações ocultas — sobretudo aquelas que envolvem poltergeists — costumam acabar tão repentinamente quanto começam, para nunca mais acontecer. Até mesmo caça-fantasmas tradicionais garantem aos clientes que modificações estruturais em uma casa, mesmo uma simples mudança na disposição dos móveis, como as feitas por um novo morador, colocam um ponto final aos relatos de acontecimentos anormais.

Quanto a George e Kathleen Lutz, claro, sua curiosidade foi mais do que satisfeita. Para nós, no entanto, fica um dilema: quanto mais "racional" a explicação for, menos sustentável ela se torna. E o caso que chamei de *Horror em Amityville* permanece um daqueles mistérios sombrios que desafia a concepção convencional que temos a respeito do que existe neste mundo.

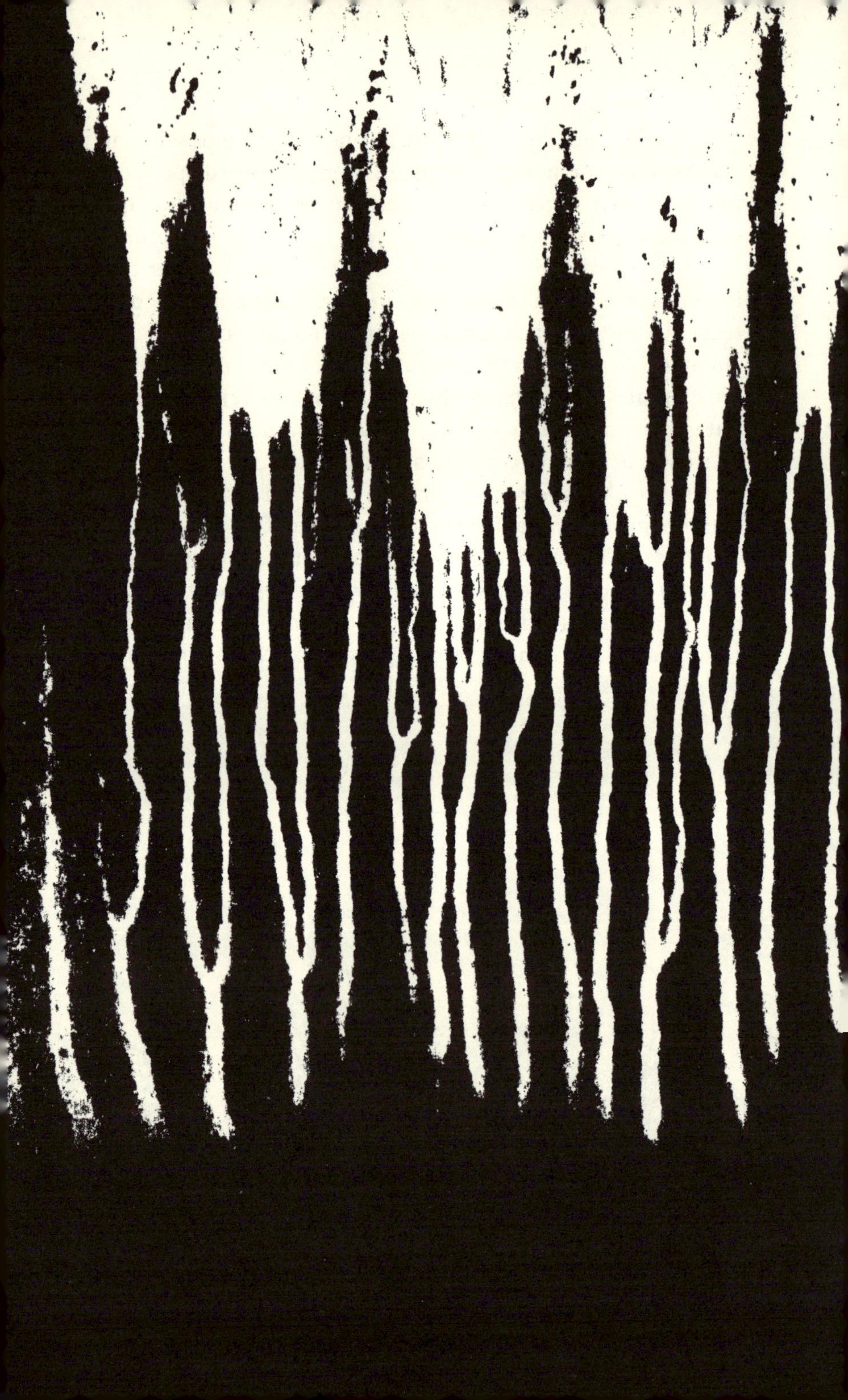

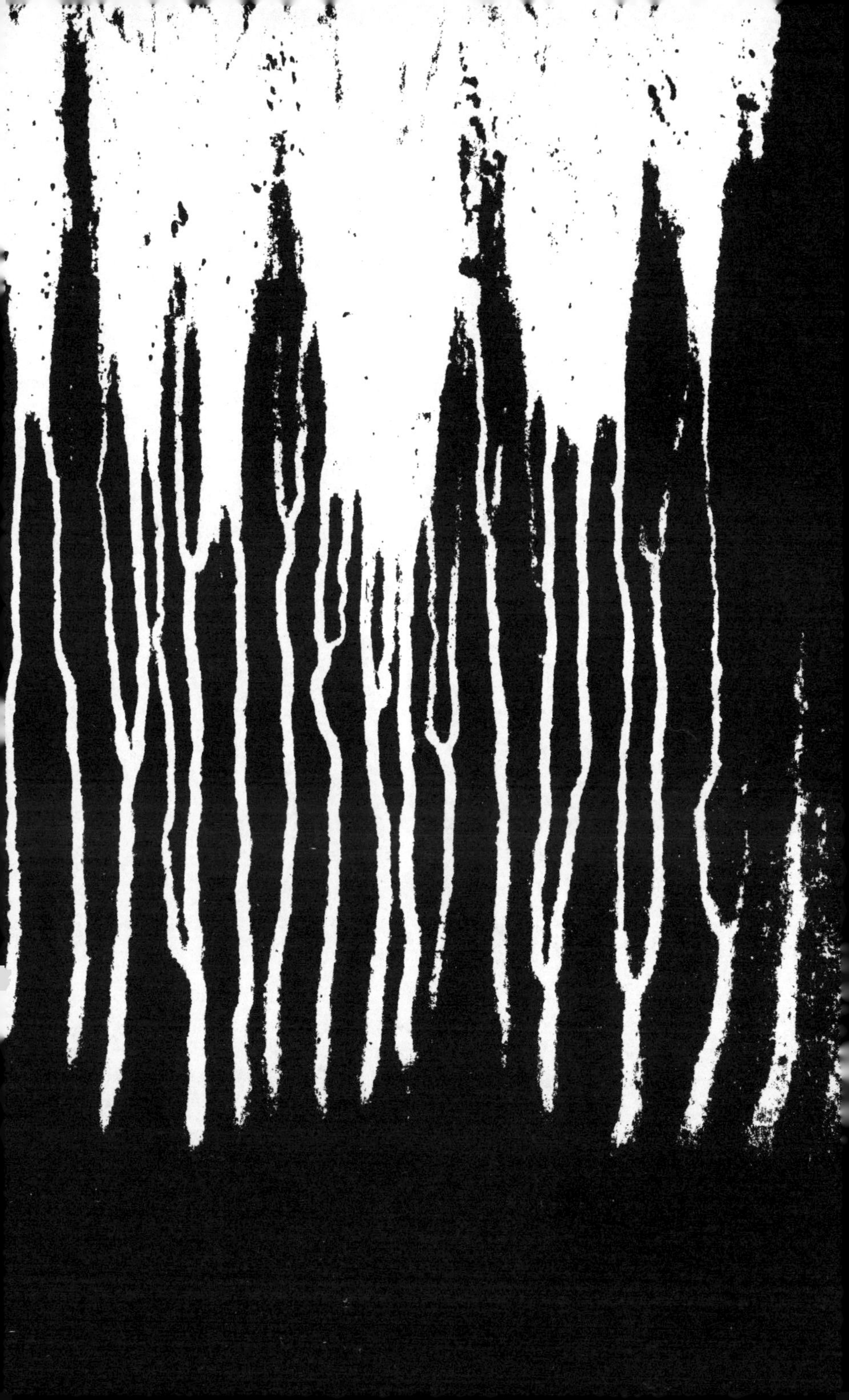

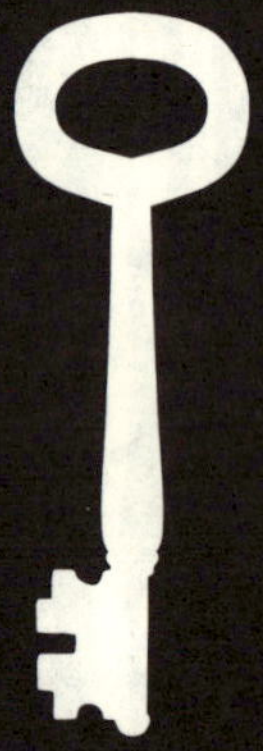

AMITYVILLE:
O CONTÁGIO DO MEDO

Dos primórdios góticos aos clássicos modernos, boas narrativas de horror combinam o prosaico com o improvável. Do mesmo modo que a primeira menstruação coincide com poderes telecinéticos em *Carrie* e a concepção fantástica do anticristo se combina às inseguranças e expectativas naturais da gravidez em *O Bebê de Rosemary*, a experiência rotineira de mudança e adaptação em um novo lar mescla-se a um conjunto de ocorrências misteriosas nas histórias de casas assombradas. Alojando o elemento sobrenatural em uma moldura de banalidade, essas narrativas instalam o horror no âmbito doméstico, ameaçando um espaço que queremos invulnerável: a casa que figura como nova vida, recomeço literal e simbólico para todos que anseiam deixar o passado para trás.

No entanto, ainda que o passado individual possa ser esquecido e superado, as marcas históricas de um país são indeléveis. E é exatamente no território dos traumas nacionais que Amityville, a mais popular das casas assombradas, desponta como verdadeiro monumento na topografia maligna do horror. Cenário de crimes reais e ocorrências fantasmagóricas, a mansão colonial holandesa oferece um instigante estudo de caso e destaca-se como quintessência das narrativas de assombração norte-americanas. Apelidado pelo pesquisador Dale Bailey de "o Star Wars das narrativas de assombração",[1] o relato de Jay Anson combina elementos folclóricos do período colonial, assassinato, entidades malignas e o *pathos* de uma família contaminada pelo medo. O resultado é uma estrutura narrativa com um cerne tão arquetípico que se converteu em modelo para futuras obras do gênero nos Estados Unidos.

A despeito de fortes raízes europeias, as histórias de casas assombradas encontraram terreno fértil na ficção de horror estadunidense. A busca pelo lar é um dos pilotis que sustenta a construção ideológica do sonho americano, mas é também no lar que incidem todos os seus pesadelos. Em uma nação construída sobre terrenos encharcados de sangue, não é de se admirar que espectros de um passado violento invadam a pretensa segurança de suas casas, em busca de reparação.

Se na tradição literária das narrativas de medo o fantasma tem laços afetivos com suas vítimas, na ficção de horror norte-americana, a relação é mais complexa: ele tem dívidas históricas. Ao desviar do modelo europeu de espectros no seio da família para uma estrutura de fantasmas no bojo da história, a fórmula da casa assombrada nos Estados Unidos resgata seu próprio arquivo histórico-cultural. Arquivos acumulam, organizam e atualizam a memória, revestindo-a de relevância contemporânea. Este é um dos motivos pelos quais tais narrativas têm a peculiaridade de se tornarem tão populares. Sua tradição na literatura norte-americana aproxima autores clássicos como Washington Irving, Nathaniel Hawthorne, Edgar Allan Poe, Edith Wharton e Henry James de mestres modernos como Shirley Jackson, Richard Matheson, Peter Straub e Stephen

---

[1] BAILEY, Dale. *American Nightmares*: The Haunted House Formula in American Popular Fiction. Wisconsin: The University of Wisconsin Press, 1999.

King. O subgênero é tão expressivo que conta até mesmo com uma fatia de mercado destinada aos relatos ditos verídicos, como o da família Lutz.

A premissa central destas histórias é o desconforto provocado pela invasão domiciliar, desautorizando a crença de que lares são espaços à prova de perigos externos. Inicialmente, tais narrativas se apresentam como fábulas de concretização dos ideais estadunidenses de sucesso: estabelecimento da família nuclear (casamento e filhos) e consolidação de *status* social (aquisição da casa própria). Porém, após o surgimento da ameaça fantasmagórica, tornam-se contos admonitórios onde os personagens são atormentados e punidos — seja pela prospecção de vida nova em uma casa ainda marcada pela morte ou simplesmente por ignorarem o histórico de suas residências. O fantasma se interpõe assim entre a húbris do futuro e o desdém pelo passado. E, até que seja reconhecido e confrontado, inviabiliza o presente.

Mais um ensaio sobre o poder contagioso do medo do que tradicional compilação de sustos, *Amityville* tem em seu alicerce múltiplas camadas de traumas históricos dos Estados Unidos. Inseridas em um corpo que se alimenta de vivências não digeridas, as narrativas de assombração norte-americanas regurgitam vergonha diante de um passado particularmente violento. Na casa de espelhos do horror estadunidense, os ideais de vitória e progresso que fundamentam o *ethos* nacional se distorcem em imagens de paranoia e fracasso. E as narrativas de casas assombradas, com seus traumas desenterrados e fantasmas vingativos, transformam o espaço doméstico no epicentro dos pânicos recorrentes do país.

A construção ideológica dos Estados Unidos foi elaborada a partir de uma planta baixa nada modesta: a de ser a nação escolhida por Deus como paradigma de perfeição, impondo-se como exemplo para o resto do mundo. Dessa pretensão messiânica, surgem crenças tão arraigadas na identidade nacional que ainda sustentam a trôpega "cidade sobre a colina",[2] como o excepcionalismo americano — a certeza de que o país não é apenas diferente de todos os outros, mas *melhor*. Trabalhando com tão altas expectativas, é fácil compreender a recusa nacional em reconhecer seus fracassos históricos, e de que modo as máculas do passado conspurcam o presente. E é justamente nessa recusa que viceja o horror. Nas narrativas de assombração, o fantasma surge como a "materialização imaterial" do que não é assimilado sendo, ao mesmo tempo, refugo e resgate de um outrora que permanece atual em sua antiguidade. Neste sentido, o passado dos Estados Unidos não só é fantasmagórico, como assombra todas as suas casas.[3]

Para além da universalidade da ameaça sobrenatural, no entanto, há outro aspecto que torna o horror em *Amityville* particularmente eficaz: a ênfase nos aspectos factuais do relato da família Lutz. Ao longo do livro, Anson se detém em episódios que usam a experiência rotineira de adaptação ao novo lar como base para os fenômenos inexplicáveis. Problemas com a calefação, ralos entupidos e janelas emperradas, a despeito de um verniz misterioso, continuam sendo aspectos com os quais os leitores prontamente se identificam. Outro ponto interessante é a insistência do autor em localizar espacialmente a ameaça fantasmagórica. O endereço da casa, por exemplo, é repetido à exaustão ao longo do livro, como se na tentativa de nos convencer de sua existência. O esforço de Anson para

---

2   A "cidade sobre a colina" é uma imagem bíblica (Mateus 5:14) conjurada pelo puritano inglês John Winthrop. a bordo do navio *Arbella*, em 1630. Rumo ao Novo Mundo — que haveria de se tornar os Estados Unidos — Winthrop fez um sermão conhecido como *A Model of Christian Charity*, no qual defendeu a importância da experiência puritana como um modelo de conduta cristã a ser observado e seguido por todas as nações: "Pois seremos como uma cidade sobre a colina. Os olhos de todos estarão sobre nós".

3   Um ótimo exemplo desta amplitude fantasmagórica está em *Amada* (1987), de Toni Morrison: "Não tem uma casa no país que não esteja recheada até o teto com a tristeza de algum negro morto. Sorte nossa que esse fantasma é um bebê". Como dito na Apresentação deste livro, alguns traumas históricos que ressurgem nas narrativas de assombração evocam os horrores da colonização, das guerras e da escravidão, entre outros.

que acreditemos na concretude da casa e na credibilidade dos Lutz reforça sua intenção de que aceitemos os elementos sobrenaturais da história como igualmente verídicos.

Na busca por verossimilhança, *Amityville* indiretamente comunica uma dupla matriz de pânicos norte-americanos. Primeiro, o relato parece mapear a macroestrutura dos medos históricos, apontando para traumas parcamente esquecidos e apagados, crimes reais e contextualização política. Depois, na oferta de uma simbólica e ilustrativa microestrutura, faz verter o caudal de sentimentos antagônicos que mobiliza a intimidade da família Lutz em seus conflitos silenciados, expectativas frustradas e sonhos de futuro. É na identificação com esses dramas familiares que surge a nossa predisposição a tomarmos como críveis as suas cenas mais improváveis. E, no cerne de todos os desassossegos, a casa se estabelece como a verdadeira antagonista da família.

Em busca de respostas sobre o histórico da propriedade, George Lutz desenterra informações que a vinculam com indígenas, descrevem seu terreno "infestado por demônios" como "local para manter os doentes, os loucos e os moribundos" e ainda identificam o vínculo de Amityville com um bruxo expulso de Salem. Mesmo bem fornido com evidências de um crime real, o enredo de *Amityville*, não satisfeito, resgata horrores de um folclórico passado colonial, combinando em sua trama cemitérios indígenas, demônios e seitas satânicas. A casa deixa de ser espaço vácuo contido por estruturas de cimento para se tornar uma *matrioska* de fantasmas.

No entanto, apesar da pluralidade de manifestações sobrenaturais, a maior assombração em *Amityville* é a própria casa em si. Construída em um terreno endemicamente maligno, a mansão colonial holandesa resiste como representação concreta de um passado macabro. Por mais assustadores ou intimidantes que pudessem ser os castelos góticos nas narrativas europeias, de Otranto ao de Drácula, o mal não estava alojado na construção. A inerente perversidade do local, um dos traços mais assustadores das casas assombradas na ficção norte-americana, encontra em *Amityville* um profundo respaldo arqueológico.

Um outro elemento importante para entendermos o contexto no qual está inserida a história é o cenário político. O relato dos Lutz coincide com um momento histórico especialmente turbulento, no qual mais do que nunca o lar era desejado enquanto recanto de proteção. O período dos anos 1960 e 1970 foi marcado por assassinatos políticos, Guerra do Vietnã, os movimentos em prol dos direitos civis, Watergate e, é claro, a ascensão e a queda de Richard Nixon.[4] O senso de desproteção e desamparo permeava o inconsciente coletivo do país. Em menos de uma década, a imagem bucólica que ilustrava o *American Way of Life* na aurora dos anos 1950 se tornou um retrato salpicado de sangue e a segurança dos lares foi inexoravelmente rompida. Sendo assim, as casas norte-americanas se viram invadidas pela inacreditável violência dos tiros que assassinaram o presidente Kennedy, as imagens chocantes da guerra e pela perversidade monstruosa da família Manson. Em *Amityville*, a contemporaneidade dessa angústia social é reforçada pelo *background* dos crimes de Ronald DeFeo — um jovem de 23 anos que, na madrugada do dia 13 de novembro de 1974, matou os pais e os quatro irmãos na propriedade. Se o lar espelhava o país, estavam ambos expostos, vulneráveis, em perigo. E é justamente nesta baixa imunidade social que o horror dissemina o medo como vetor de contágio.

---

4   Pressionado pelas denúncias que expunham suas táticas criminosas, o 40º presidente dos Estados Unidos renunciou em agosto de 1974, cristalizando-se na história política do país como um verdadeiro monstro. "Nixon, o Criminoso" tornou-se um arquétipo tão enraizado na cultura estadunidense dos anos 1970 que até mesmo Charles Manson, tentando alegar inocência pelos assassinatos Tate-LaBianca, chegou a declarar: "Eu não infringi a lei. Não sou Richard Milhous Nixon, sou Charles Milles Manson". Em 2005, a nova versão cinematográfica de *Amityville* usa um pôster de Nixon no quarto de Ronald DeFeo para reforçar a vilania do jovem assassino.

Como inúmeras histórias do gênero enfatizam, assombração também é sugestão. A partir do momento em que a família Lutz cede ao impulso de montar uma narrativa cronológica e coerente para os fenômenos misteriosos que os cercam, o horror se expande. O medo passa a tomar conta de todos os espaços da casa, invadindo não só os cômodos, mas os seus moradores e visitantes.

Um dos grandes trunfos de *Amityville* é tratar a assombração como um vírus. Uma vez expostos à malignidade da casa, os personagens se contaminam e transmitem o seu horror. Em outras palavras, a força demoníaca da casa é tão potente que nem mesmo a fuga pode libertar os que foram afetados por ela. Transformar a casa em vírus é uma estratégia brilhante, pois dá conta do que poderia ser uma de suas fraquezas narrativas: o motivo pelo qual os Lutz não vão embora da casa logo nos primeiros dias.

Décadas mais tarde, no primeiro filme da franquia *Invocação do Mal* (2013), um Ed Warren ficcional explicaria esse contágio como "ter contato com uma assombração é como pisar em um chiclete". Ao conferir mobilidade à uma ameaça que tradicionalmente é vista como estática, essa noção fortalece um *insight* valioso para entender outro pilar estadunidense: a paranoia.

Histórias de assombração e possessão exploram o medo de estarmos sendo observados, monitorados, seguidos — e de termos a proteção de nossas casas e corpos violada. Em *Amityville*, o embate contra invasores sobrenaturais é especialmente frustrante, pois torna inúteis os habituais recursos que dão aos norte-americanos uma ilusão de segurança, como armas, alarmes sofisticados, contatos influentes e recursos financeiros. Nesse último aspecto, é interessante notar como as inquietações de George Lutz com a sua conta bancária se misturam ao medo das entidades malignas — que chegam a roubar dinheiro da família Lutz.

Em um trecho do livro, George renuncia a sua percepção de que Amityville é uma casa amaldiçoada na tentativa de ressignificá-la como mina do tesouro: "Sem sono, ele ficou imaginando que encontraria esconderijos espalhados pela casa, cheios de dinheiro, que usaria para resolver todos os problemas financeiros". A esperança de George de que a mesma casa que subtrai seus recursos possa compensá-lo materialmente ganha significado ainda mais patético no desfecho da história, quando a família é forçada a abrir mão de todos os seus pertences ao deixar a casa. Essa perda pecuniária sugere os contornos de um pacto faustiano, onde em troca da aceitação da malignidade de Amityville, a família Lutz receberia algum proveito. Em uma cultura como a norte-americana, pautada no credo puritano de dinheiro como evidência de mérito e recompensa divina,[5] não é de se estranhar que entidades sobrenaturais baguncem as finanças da família. A casa abocanha as economias dos Lutz no momento da aquisição, e esgota seus demais subsídios no momento da fuga — mas a popularidade do livro de Anson em 1977 e da adaptação cinematográfica em 1979 daria aos Lutz um trunfo bastante cobiçado nos Estados Unidos: a celebridade.

Deixo assim aos *darksiders* uma conclusão em aberto, para que decidam o vencedor deste embate. Muitos dirão que foram os Lutz, graças à fama conquistada pelo seu relato. Confesso que, para mim, a vitória é de Amityville. Diferente das narrativas de casas assombradas em que as construções são destruídas, essa emblemática mansão sobrevive até os dias de hoje, a observar todos que a contemplam com suas "janelas que parecem olhos vazios", como a casa de Usher no conto de Edgar Allan Poe — imponente, eterna e parte do acervo cultural do horror.

---

5   Vale lembrar que dinheiro e profissão de fé jazem tão entrelaçados na ideologia estadunidense que as notas de dólar trazem a frase "In God We Trust".

Amityville é um drama de contágio, com efeitos bem sucedidos e duradouros. Assim como a família Lutz, nenhum de nós pode escapar ileso dos dias em que habitamos esta mansão repleta de fantasmas — sejam reais ou simbólicos, familiares ou históricos. Ao ter este livro nas mãos, você a carrega consigo, deixando que o medo contamine a sua própria casa. Nenhuma concentração de moscas parecerá aleatória, nenhum calafrio será insuspeito e se você acordar por volta das três da manhã, sentirá como se a sombra de Amityville pairasse sobre a sua cama.

Talvez não exista fuga possível de uma casa que assombra a nossa imaginação. Mas o que é a arte, senão o meio pelo qual transformamos o inescapável em via de sobrevivência? Neste sentido, os vencedores em *Amityville* somos nós: alquimistas da realidade e protetores da ficção.

Somos leitores — e leitores, a despeito das trevas, sempre sobrevivem.

Marcia Heloisa
Halloween 2021
Em uma casa muito bem
assombrada de amor

JAY ANSON nasceu em 4 de novembro de 1921, em Nova York. Escritor e roteirista de diversos curtas de documentários, sua fama chegou ao ápice com *Amityville*, publicado originalmente em 1977. Após isso, chegou a escrever *666*, livro que também lidava com a temática de casas mal-assombradas. Faleceu em 12 de março de 1980, aos 58 anos.

"A casa em si e a paisagem simples
ao seu redor, suas paredes soturnas,
suas janelas com vãos que pareciam olhos."
— EDGAR ALLAN POE —

HALLOWEEN 2021

DARKSIDEBOOKS.COM

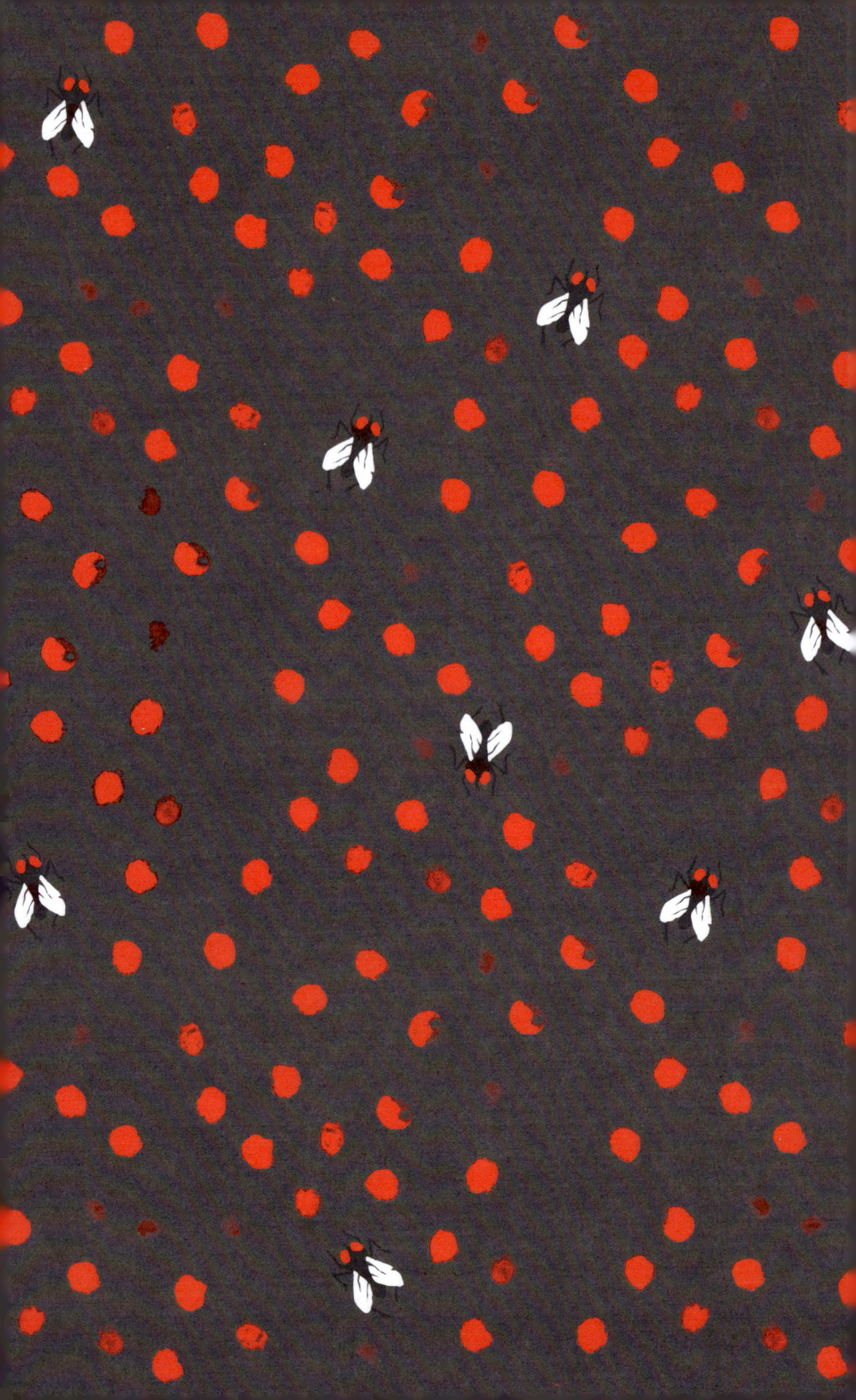